普通高等教育教材

大学生
厨艺课堂

宋家博　付国柱　李　浚　主　编
高丛茹　戴　冈　温晓丹　副主编

化学工业出版社
·北京·

图书在版编目（CIP）数据

大学生厨艺课堂 / 宋家博，付国柱，李浚主编；高丛茹，戴冈，温晓丹副主编. -- 北京：化学工业出版社，2025. 9. -- (普通高等教育教材). -- ISBN 978-7-122-48836-7

I. TS972.11

中国国家版本馆CIP数据核字第2025Y5M284号

责任编辑：隋权玲　　　　装帧设计：溢思视觉设计 E-mail: isstudio@126.com／程超

责任校对：田睿涵

出版发行：化学工业出版社（北京市东城区青年湖南街13号　邮政编码100011）

印　　装：北京捷迅佳彩印刷有限公司

787mm×1092mm　1/16　印张$11^1/_4$　字数220千字　2026年1月北京第1版第1次印刷

购书咨询：010-64518888　　　　售后服务：010-64518899

网　　址：http：//www.cip.com.cn

凡购买本书，如有缺损质量问题，本社销售中心负责调换。

定　　价：58.00元

序

“民以食为天”，自古以来，餐饮文化就扎根中华大地，于历史沃土中孕育，在朝代更迭里发展。穿梭在市井乡里，往返于学校商场，一家家热气腾腾的店铺，一道道精心烹制的佳肴，其背后不仅是色香味的沉淀，更是劳动人民智慧的结晶。

然而，随着科学技术的进步，烹饪的过程愈加简单；伴随移动互联网的普及，外卖的交付更加便捷。有时候我们甚至忘了亲自走进厨房，感受小火慢炖的耐心、处理食材的细心、烹饪美味的精心。

再观当下，特别是对当代大学生而言，将“厨艺”作为一项必备技能来学习和锤炼，特别值得年轻一代关注和践行。

党的十八大以来，习近平总书记围绕“劳动”发表了一系列重要论述，特别强调“劳动教育”的重要意义。2020年3月，中共中央、国务院印发《关于全面加强新时代大中小学劳动教育的意见》；同年7月教育部印发《大中小学劳动教育指导纲要（试行）》，为高校开展劳动教育提供了行动指南。

劳动教育步入校园、扎根课堂，与餐饮文化紧密结合便催生出了一门理论与实践相结合的烹饪厨艺课程。学校开设烹饪课程，学子们从洗菜、切菜的生疏，到能烧出一盘色香味俱全的佳肴，在烟火升腾中知晓“一粥一饭，当思来之不易；半丝半缕，恒念物力维艰”，亲身体验食材从原始模样化作盘中美味，便能深刻懂得劳动创造价值，从而使得珍惜之心油然而生。

正是秉持这种理念，北京化工大学于2019年启动并建设了“北京化工大学后勤学校”这一劳动教育实践平台，致力于构建一个具有时代特色和北化独特风格的劳动教育基地，用劳动实践育人，借厨艺课程育人，练生活技能育人——厨艺课堂应运而生并在几年间成为我校劳动教育的典范之一。

究其核心，餐饮文化以其包罗万象的特质，为劳动教育搭建起趣味盎然的舞台：从远离城市文明的田间地头的春种秋收中，感受食材诞生之初的艰辛；到厨房灶台的煎炒烹炸，领悟技艺打磨的恒心。劳动教育借助餐饮这一载体，让当代大学生体悟汗水与收获的辩证关系，领悟传统文化“劳则思，思则善心生”的智慧。二者携手，如双桨划动生活之舟，于烟火日常驶向传承、创造的远方，使劳动之光长耀，餐饮之香永传。

我们深知，学习厨艺不仅仅是为了满足口腹之欲，更是一种文化传承和社交能力的培养。从东北冰原下窖藏的酸菜，到江南水乡孕育的鲜藕，无一不是天地人和的结晶。制作一道传统名菜，工序繁复如一场虔诚的仪式。在烹饪中，学生们可以更好地了解和体验不同的饮食文化，增进对多元文化的理解和尊重，进而促进人与人之间的交流与合作，增强团队精神。

在此，让我们共同期待《大学生厨艺课堂》的出版，希望它能够成为学生们学习厨艺、体验劳动、感悟生活的重要工具。相信这本书能够激发更多大学生对厨艺的热爱、对生活的热情，帮助他们成为会生活、懂生活、爱生活的人。

2025年1月于北京

前言

回顾厨艺课程数年来的发展历程。2019年，我们举办了20余期“厨艺小课堂”活动，不仅受到大学生的热烈欢迎，还赢得了社会各界的广泛关注和高度评价。这些活动涵盖了传统文化、家乡风味和匠心传承等多个主题，不仅为正式的劳动教育课程奠定了坚实的基础，还为校内师资队伍的培养提供了宝贵的实践平台。通过举办这些活动，平时在厨房中掌勺的师傅们得以从灶台走向讲台，向高校学子传授烹饪技艺；通过举办这些活动，课程研发团队探索了厨艺课程的教学内容和教学方法，确定了教学重点和教学方式，并不断推陈出新。

2021年底，在多年筹备与实践的基础上，经过严格的申报程序和多轮试讲，学校正式将“厨艺课堂”纳入校级劳动教育选修课程体系。该课程总学时为24学时，计1学分，并于2022年春季学期向全体本科生开放。这标志着“厨艺课堂”成为北京化工大学首个正式的劳动教育课程。为扩大课程的影响面，2022年秋季学期，学校面向研究生群体也开设了厨艺课程。

为了进一步提高课程质量，加强师资队伍建设，我们聘请了职教名师侯德成、“都一处”烧卖制作技艺非遗代表性传承人吴华侠、“北京大工匠”赵会连等业界专家与劳动模范担任后勤学校特聘讲师，分别给学生带来西餐、烧卖和中式点心制作等课程。这些校外名师不仅给学生们传授了精湛的厨艺，还通过分享自己的成长经历，向同学们传达了“干一行，爱一行，专一行，行行都能出状元”的理念，体现了新时代通过劳动成就梦想的精神。

2023年，为了进一步扩大劳动教育的影响力，在厨艺课堂结课之际，我们举办了“今日我是大厨”活动，专门开辟窗口，让学生全程制作菜品并亲自售卖，同时邀请师生参与打分和评价。这一活动极大地提升了师生对劳动教育和厨艺课程的关注，也让学生在用自己的劳动服务师生的过程中体会到了成就感。此外，在正式的厨艺课程的基础上，我们还在传统节日举办了多场专项活动，如端午节的粽子制作课、中秋节的月饼制作课以及冬至的饺子制作课等，将正式课程与活动课程相结合，进一步扩大了厨艺课程的影响力。

2024年，我们在课程中增加了更多关于营养健康的内容，引导学生将营养健康与美食制作相结合，不仅追求食物的美味，更注重其营养价值。这使得厨艺课程的内容更加全面，更好地满足了学生的长远发展需求。

一路走来，从最初的活动式小课堂，到如今的校级选修课程，厨艺课程团队在课程建设的价值引领、师资建设、课程设计、过程管理与考核评价等方面积累了系统而宝贵的经验。厨艺课程也因其实用性和趣味性，成了学生们心目中的“明星课程”，每一届学生口口相传、处处推荐，课程名额每每供不应求。不少同学在结课的心得中表达了对厨艺课程的喜爱和不舍，他们不仅学到了烹饪技能，更体会到了劳动的快乐和食物的来之不易，理解了父母的辛劳，学会了感恩和珍惜，培养了动手实践能力和团队合作精神。厨艺课程的顺利开展，实现了劳动教育的目标：使学生树立正确的劳动价值观，培育积极的劳动精神，掌握必备的劳动技能，同时形成良好的劳动品德。

为了进一步提升厨艺课程的系统性和规范化，提升厨艺课程的影响力，厨艺课程的授课团队对授课内容进行了完善，形成了本书的内容。

本书致力于为大学生构建一个全面的厨艺学习体系，内容涵盖基础的刀工和烹饪技巧、食材的选择与搭配，以及营养均衡的膳食设计等方面，充分体现了编者对教育内容的精心策划和编排。我们衷心希望，通过阅读和学习本书，大学生们不仅能够掌握制作美味佳肴的技能，更能在烹饪过程中提高思考、创新和解决问题的能力。

在内容的编排上，本书充分考虑了大学生的特点和需求，采用了图文并茂、步骤分解的讲解方式，让即使是厨艺“零基础”的学生，也能够轻松上手。同时，书中还穿插了大量的实践案例，鼓励学生们在实际操作中学习、探索和创造。

此外，本书还特别强调了健康饮食的重要性。在快节奏的现代生活中，许多大学生可能会忽视饮食的健康性，而本书则通过介绍一些健康食谱和营养知识，引导学生们形成良好的饮食习惯，从而为他们的身心健康打下坚实的基础。

编者

2025年1月于北京

目录

第 3 章 蔬菜的加工知识

第 4 章 肉类的加工知识

第 5 章 水产类的加工知识

第1章

烹饪
基础知识

1.1 烹饪设备工具

烹饪作业“三要素”，是指**设备工具**、**食材原料**和**厨师**。其中，设备工具是烹饪的基础要素。

【定义】

烹饪设备工具，指的是在菜品加工过程中所涉及的全部工具和器材，具体可以分为以下三个类别：

1. 炉：常用烤炉、烘炉、熏炉等。

2. 灶：常见的有燃气灶和电磁灶，用于加热食物，是厨房中进行烹饪的主要设备。

3. 工具：刀具、砧板、锅、漏勺、炒勺、锅铲、电饭锅、油罐、箅子、菜筐、调料罐等。

烹饪作业中经常用到的设备工具有：

炒锅：炒锅是炒制菜肴的关键器具，材质有铸铁、不锈钢、铝合金等。铸铁炒锅蓄热能力强，能让食材迅速受热均匀，但相对较重；不锈钢炒锅轻便且易清洁；铝合金炒锅导热快。烹饪时建议选择直径28～32厘米、容量适中的炒锅，便于翻炒食材。锅壁厚度2～3毫米较为适宜，太薄易导致局部过热，太厚则导热过慢。

蒸锅：它是蒸制菜肴的关键工具，最常见的就是普通的家用蒸锅，材质有不锈钢、铝合金等。建议选择直径28～32厘米的蒸锅，这样的尺寸能容纳足够多的食材，且蒸制时受热更均匀。家庭蒸锅的层数可根据使用频率选择，一般两层或三层较为合适，每层之间要有足够的空间，避免食材受到挤压。

炖锅：常见材质有陶土、铸铁、陶瓷等。陶土炖锅保温性能和透气性良好，能使食物味道相互交融，炖出的汤品鲜美可口，但陶土炖锅质地较脆，容易破裂；铸铁炖锅蓄热能力强，可在短时间内达到较高温度，且能保持稳定温度，使食材炖煮得更加透彻，不过铸铁炖锅比较重，且需要适当保养以防生锈；陶瓷炖锅美观且环保，能均匀散热，保持食物的原汁原味，但使用陶瓷炖锅时要注意避免碰撞。

汤锅：材质多为不锈钢、搪瓷、陶瓷等。不锈钢汤锅坚固耐用、耐腐蚀且易清洁，能快速导热，适合多种炉灶；搪瓷汤锅表面光滑，不易粘锅，保温性能较好，但要防止碰撞导致搪瓷脱落；陶瓷汤锅环保健康，能均匀受热，煮出的汤品味道纯正，但它的质地相对较脆。

锅铲：用于翻炒食材，材质有木质、硅胶、金属等。木质锅铲质地温和，不会刮伤炒锅内壁，且能有效避免与食材发生化学反应；硅胶锅铲耐高温且柔韧性好；金属锅铲坚固耐用但需注意避免刮伤炒锅。一般选用长度为30～40厘米的锅铲，以便于翻炒。

漏勺：用于将固体食物从液体中分离并沥干。常见于油炸后捞起食物以沥除多余油脂，或用于焯水、捞取面条等场景。漏勺的勺面要足够大，以方便快速捞出食材，直径15～20厘米为宜。材质可选用坚固且易清洗的不锈钢。漏勺的手柄要结实耐用，长度25～35厘米，方便手持操作。

刀具：用于切割各类食材，其锋利度至关重要。推荐使用刀刃长度15～20厘米、不锈钢材质的厨师刀。不锈钢材质的刀具不仅能轻松应对不同食材的切割，还便于保养，不易生锈。

砧板：为切割作业提供稳固平台，砧板需质地坚硬、表面平整且不易滑动。木质砧板中，柳木或银杏木纹理细密，不易掉渣，是不错的选择。砧板直径30～40厘米、厚度5～8厘米，能保障切割时的稳定性。

1.2 调味

【定义】

调味就是用各种调味品和调味手段，在原料加热前、加热过程中或加热后进行风味调和，以除去异味、增加美味，使菜肴具有多样化的滋味和风味特色的一种烹饪方法，简单说就是调和滋味。调味在烹饪技艺中处于关键地位，是决定菜肴风味品质最主要的因素之一。

1.2.1 调料

调料也称佐料，是指被加入食材从而改善食品味道的成分，可以分为以下类别：

咸味调料：咸味是调味中的基本味，大部分菜肴都要先有一些咸味，然后再调和其他的味。常见的咸味调料有食盐、酱油、酱类、豆豉等。

甜味调料：甜味在调味中的作用仅次于咸味，可增加菜肴的鲜味，缓解辣味的刺激感、增加咸味的鲜醇等。常见的甜味调料有白砂糖、绵白糖、冰糖、红糖、蜂蜜等。

酸味调料：由于酸具有较强的去腥解腻作用，所以烹制动物内脏和水产品时不可或缺。常见的酸味调料有食醋、柠檬汁、番茄酱等。

辣味调料：辣味具有强烈的刺激性和独特的芳香，除可去腥解腻外，还有增进食欲、帮助消化的作用。常见的辣味调料有辣椒类（如朝天椒、灯笼椒）、姜类（如生姜、沙姜）、胡椒（如黑胡椒、白胡椒）、芥末（如山葵、辣根）等。

苦味调料：苦味是一种特殊的味道，除有消除异味的作用外，在菜肴中略微调入一些带有苦味的调味品，可形成清香、爽口的特殊风味。常见的苦味调料有陈皮、咖啡、茶叶等。

鲜味调料：鲜味可使菜肴鲜美可口，其来源主要是原料本身所含有的氨基酸等物质。常见的鲜味调料有味精、鸡精、蚝油、鱼露，以及传统的高汤等。

香味调料：应用在调味中的香味是复杂多样的，其作用是可使菜肴具有芳香气味，刺激食欲，还可去腥解腻。常见的香味调料有料酒、葱、蒜、香菜、桂皮、八角、花椒、芝麻油等。

1.2.2 调味的基本方式

1. 原料加热前的调味

调味的第一种方式是在原料加热前调味，可称为基础调味。其主要目的是使原料先有一个基本滋味，并去除一些腥、膻的气味。具体方法就是用盐、酱油、料酒或糖等调味品调拌或浸渍原料，例如鱼在烹制前，往往要用盐或酱油腌制；用于炸、熘、爆、炒的原料往往要结合挂糊上浆加入调味品；用蒸的方法制作的菜肴，其原料往往事先也要进行调味腌渍。

2. 原料加热过程中的调味

调味的第二种方式是在原料加热过程中调味，即于加热的适当时候，将调味品投入。这是具有决定性的定型调味阶段，大部分菜肴的口味都是在这一阶段完成的。有些用旺火短时间快速烹调的菜肴，如需旺火急成的爆、熘类菜肴，往往还需要预先调配碗芡（含调味品的淀粉汁），在烹制时迅速加入，以快速成菜。

3. 原料加热后的调味

调味的第三种方式是原料加热后调味，也称为补充调味。此阶段可补充菜肴滋味，尤其适用于加热过程中不便调味的烹调法，如炸、蒸、涮类菜肴，它们虽都经过基础调味的阶段，但由于在加热过程中不能调味，所以往往要在菜肴制成后，加上调味品或随调味品上桌，以补基础调味的不足。炸菜佐料因地域而异，北方多用椒盐，南方配辣酱；涮菜虽在加热中不调味，但蘸料需提前备制，以补基本调味的不足。

1.3 刀工

【定义】

刀工是根据烹调和食用需要，运用刀具及刀法对烹饪原料进行加工处理的技术，即通过切、削、刮、剜等操作手法，根据菜品需求将食材塑造成特定形态，以实现易于均匀受热、便于入味、方便食用、造型美观及节约材料等目的。

1.3.1 刀工操作的基本要领

刀工操作时，应保持既确保操作安全和工作效率又有利于减轻疲劳的姿势，注意以下几点：

1. 双脚自然分开，与肩同宽，身体与砧板保持适当的距离；上身略向前倾，前胸稍挺，避免弯腰弓背；双眼注视砧板上双手操作的部位。

2. 右手握刀时，拇指与食指捏住刀柄后端，全手掌握好刀柄；左手控制原料，中指关节微顶刀身侧面，使原料和刀保持平稳、不滑动，以便于落刀、不伤手。

3. 握刀时手腕要灵活有力，以控制下刀力度。

4. 砧板高度应与操作者腰部齐平（约85～95厘米），确保操作舒适。

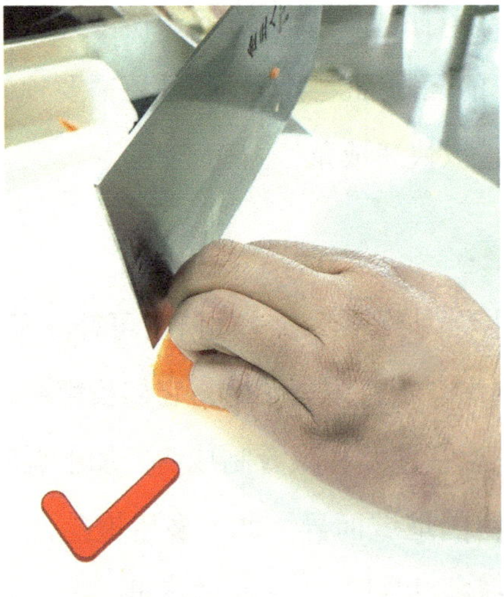

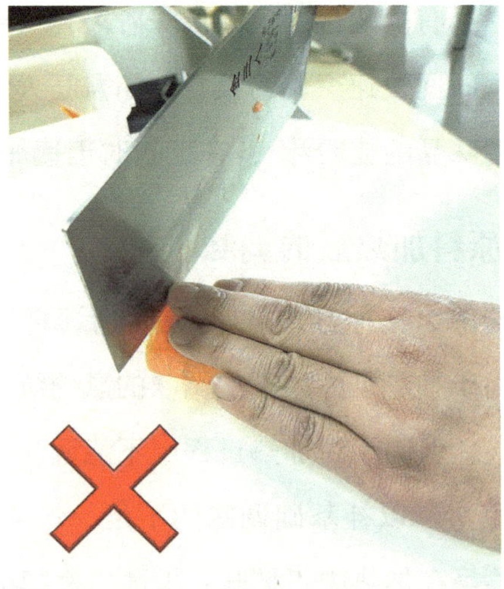

1.3.2 常见刀法

1. 平切：也称为批刀法、片刀法，其特点是刀面与砧板面（工作台）平行。操作时，左手掌根按稳原料，右手持刀，使刀面与砧板面平行，然后将刀刃推入原料中，使食材被劈开。这种刀法主要适用于豆腐、熟肉等无骨软质食材的切割。

2. 直切：也称为直刀切。操作时，刀与原料保持垂直，不向前推也不向后拉，垂直下刀一切到底。这种刀法主要适用于黄瓜、土豆、萝卜等脆性食材的切割。

3. 推切：操作时，刀从后向前推至底部，不再拉回。这种刀法适合于切割熟腿肉、酸菜等韧性食材。

4. 拉切：操作时，刀刃从前端切入后向后下方拉至底部。这种刀法适用于切割里脊肉等厚韧食材。

5. 锯切：又称推拉切。操作时，先向前推再向后拉，类似锯木头的动作。这种刀法适用于切割火腿、面包等较厚且有韧性的食材。

6. 铡切：操作时，左手掌根抵住刀背前端，右手垂直下压。这种刀法适用于切割螃蟹、熟鸡蛋等带壳食材。

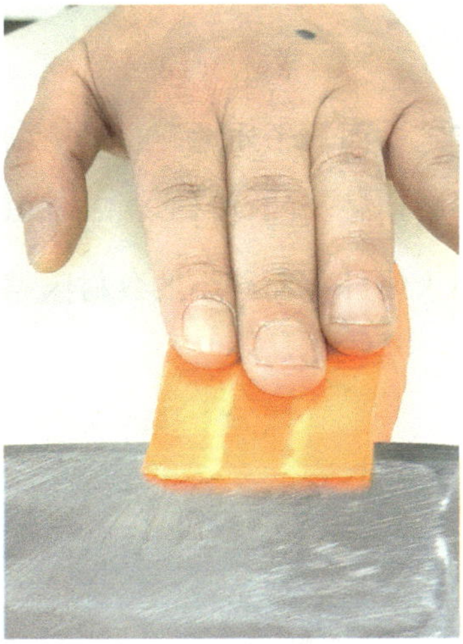

平切

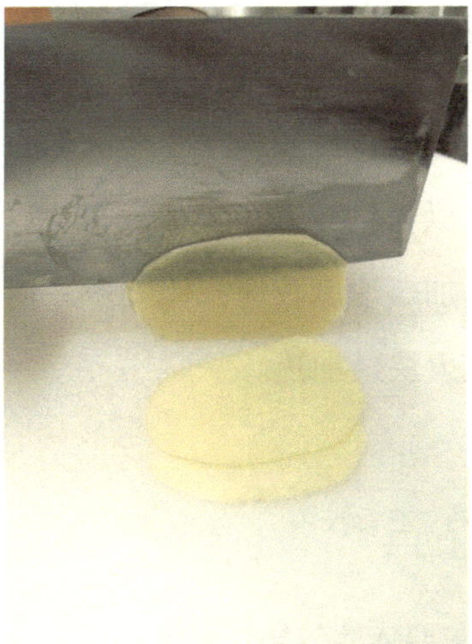

直切

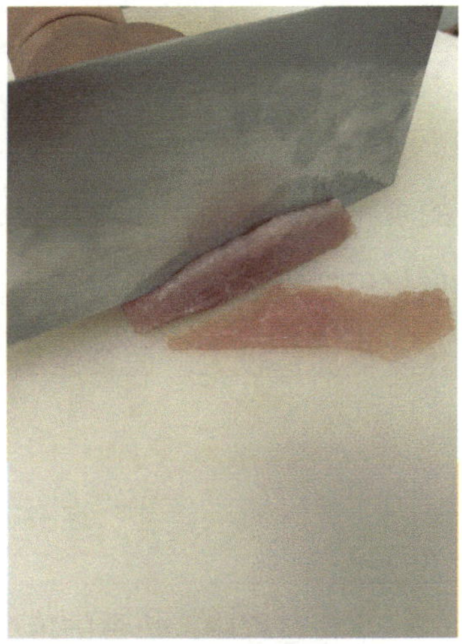

推切

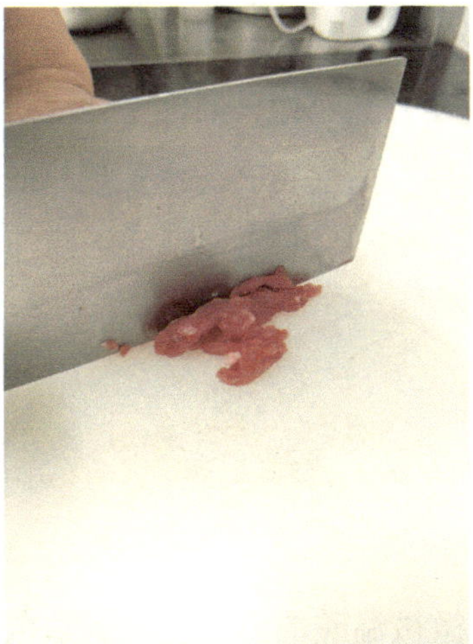

拉切

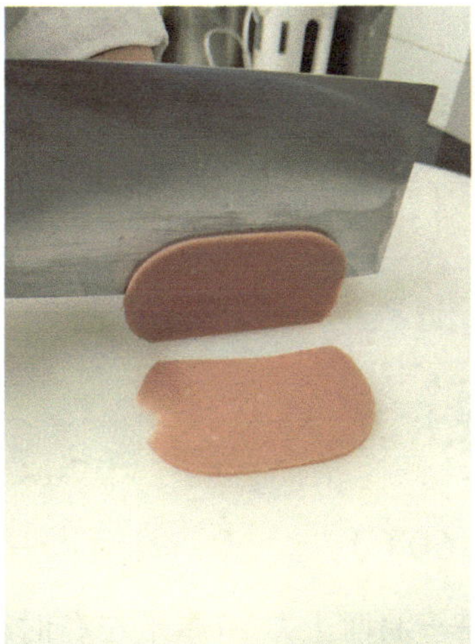

锯切

铡切

1.4 火候

【定义】

火候是指在菜肴烹调过程中，对加热强度、加热时间以及传热介质的综合控制，以使食材达到预期的熟制程度、质感和风味。在实际操作中，需根据炉具性能调节火力大小，并结合食材特性、形态及烹饪要求，合理掌控加热时间和温度，从而实现最佳烹饪效果。

1.4.1 火候与原材料

一般来说，质地软、嫩、脆的食材多采用旺火快烹的方式；而对于质地硬、老、韧的食材，则应使用小火慢烹，以软化纤维并提升口感。对于整块较大的食材，由于其单位体积的受热面积相对较小，加热速度较慢，因此多采用小火慢炖；而碎小的食材因整体受热面积较大，适合使用旺火快速加热。

1.4.2 火候与传热介质

烹饪过程中，热量的传递主要依靠传导、对流和辐射三种基本方式。

常见的传热介质包括水、油、蒸气、空气、金属锅具以及某些情况下使用的盐或沙粒（如盐焗、沙炒等）。

不同的传热介质导热效率不同，所需的火候控制也有所差异。例如，同样是处理螃蟹，水煮、清蒸、盐焗、爆炒等烹饪方式使用的传热媒介不同，所需火力大小、加热时间以及温度控制也各不相同。

1.4.3 油温判断及使用场景

1. 一两成油温（30 ～ 60℃）

油面平静，无烟，手悬停于油面上方10厘米左右时有微微温暖的感觉。此时油温较低，适合用于滑油处理质地细嫩的食材（如鱼片、虾仁、豆腐等），也可用于初步加热坚果类食材或炒酱料。

注意：若食材已上浆，在此温度下容易脱糊。

2. 三四成油温（90 ～ 120℃）

油面平静，手悬停于油面上方约10厘米处略有温感；插入筷子可见少量小气泡缓慢上升；把肉下锅，肉会较快变色。此时的油温适合滑炒、滑熘等操作，能较好锁住食材水分，使肉质柔嫩。

3. 五六成油温（150 ～ 180℃）

油面开始泛起轻微波纹，向四周翻动，有少量青烟，插入筷子会产生较多连续的小气泡；把肉下锅，肉会迅速变色。此时的油温适合快速煸炒、初步炸制或复炸前的预熟处理，可有效逼出食材水分，形成良好口感和香气，适合制作炸鸡翅、辣子鸡丁、葱姜蒜爆香等。

4. 七八成油温（210 ～ 240℃）

油面出现蓝烟或轻油烟，插入筷子时气泡密集且翻腾剧烈。此时的油温较高，能使食材外焦里嫩，还有增添色泽、增加香味的作用，适合干炸、酥炸、煎制、爆炒等操作，适合制作糖醋鱼、干炸丸子、火爆河虾等需要高温速成的菜肴。

一两成油温（30 ～ 60℃）的状态

炸花生米时需一两成油温下锅

三四成油温（90 ～ 120℃）适合滑肉

葱姜蒜爆锅的适宜油温是五六成油温（150 ～ 180℃）

七八成油温（210 ～ 240℃）时，油面会出现轻烟

第2章

蛋类做法与搭配

2.1 蛋类及其营养价值

蛋类主要包括鸡蛋、鸭蛋、鹅蛋和鹌鹑蛋等。在日常饮食中，鸡蛋是最常被食用的一种蛋。

鸡蛋是优质蛋白质的重要来源，其可食部分（去壳后）的蛋白质含量大约为12%～13%，脂肪含量约为9%～12%，其中大部分脂肪集中在蛋黄部分。碳水化合物含量相对较低，仅占1%～1.5%。此外，鸡蛋富含多种维生素，包括所有的B族维生素、维生素A、D、E、K，并且几乎不含维生素C。矿物质方面，鸡蛋含有约1%的矿物质，其中磷、钙、铁、锌和硒的含量尤为显著，这些矿物质主要集中在蛋黄中。

鸡蛋中的蛋白质具有很高的营养价值，在动物性蛋白质中表现突出。其氨基酸组成接近人体的需求，因此具有较高的生物利用率，是衡量其他蛋白质食物营养价值的标准之一。

蛋黄中的脂肪以单不饱和脂肪酸为主，特别是油酸的比例较高。同时，蛋黄也是磷脂（如卵磷脂）的良好来源，其中的卵磷脂可促进大脑发育、调节血脂。值得注意的是，胆固醇主要存在于蛋黄中，每100克蛋黄中的胆固醇含量大约为1100～1400毫克。

表 2-1　鸡蛋黄和鸡蛋白的营养含量比较（100g）

成分	蛋白质 /g	脂肪 /g	胆固醇 / mg	维生素 A/ μgRAE	维生素 B1/mg	维生素 B2/mg	钙 /mg	锌 /mg
蛋黄	15.2	28.2	1510	438	0.33	0.29	112	3.79
蛋白	11.6	0.1	0	0	0.04	0.31	9	0.02

不同种类的蛋在营养成分上有所区别，但它们都是日常饮食中重要的营养来源，尤其对于提供优质蛋白质、必需脂肪酸、多种维生素和矿物质等营养具有不可替代的作用。

2.2 营养均衡与安全健康的注意事项

1. 高蛋白饮食的风险

蛋白质是人体必需的营养素之一，参与机体组织构建、酶类合成、免疫调节等多种生理功能。然而，蛋白质摄入并非越多越好。研究表明，长期过量摄入蛋白质可能对某些器官系统造成潜在风险，特别是对于肾功能不全的人群，过多的蛋白质代谢产物会增加肾脏的排泄负担。

不同个体的能量需求因性别、年龄、体重及体力活动强度而异，例如，一个轻体力活动的成年女性每日能量需要量约1800千卡，而同等活动的成年男性约为2200千卡。蛋白质供能比建议控制在10%～15%之间。根据《中国居民膳食指南（2022)》，健康成年人每日蛋白质推荐摄入量为每千克体重0.8～1.2克。以60公斤体重为例，每日适宜的蛋白质摄入量为48～72克。

2. 蛋白质摄入与肌肉增长的关系

肌肉蛋白的合成受到多种因素的共同调控，包括蛋白质摄入、运动刺激（如力量训练）、激素水平及遗传背景等。单靠增加蛋白质摄入并不能直接诱导肌细胞生成更多肌肉蛋白。

对于多数普通锻炼者而言，在日常饮食已经满足蛋白质需求的前提下，继续额外摄入大量蛋白质并不能显著促进肌肉增长，反而可能增加代谢负担。多余的蛋白质不会直接转化为肌肉，而是通过体内代谢途径被利用或排出体外。

因此，合理安排蛋白质摄入，结合科学锻炼，才是促进肌肉健康发展的有效方式。

3. 蛋黄中铁的吸收问题

蛋黄中含有卵黄高磷蛋白（phosvitin)，该物质会抑制非血红素铁的吸收，因此蛋黄中铁的生物利用率通常很低，仅3%左右。

2.3 蛋类的鉴别方法

1. 沉浮法判断新鲜度

将鸡蛋放入清水中观察其沉浮状态：新鲜的鸡蛋通常会完全沉入水底，并且是横躺（侧卧）状态，而存放时间较长的鸡蛋由于蛋内气室扩大，可能出现沉底但直立或倾斜状态（比较新鲜)、悬浮在水中（不够新鲜)，甚至完全漂浮在水面（很可能不新鲜或已变质)。但此方法仅能作为判断新鲜程度的参考，并不能单独用于判断食用是否安全。

2. 外观与触感观察

新鲜的鸡蛋蛋壳表面略显粗糙，有一层无光、细腻的角质层（壳上膜；褐壳蛋透明，白壳蛋可能呈灰白色粉末）。存放时间较长的鸡蛋蛋壳会变得光滑，角质层会磨损或脱落。

3. 旋转法辨别生熟

将鸡蛋平放在光滑平面上，用手指捏住鸡蛋中部，快速旋转一圈，松手后立即观察鸡蛋的旋转状态：熟鸡蛋因内容物已凝固，可平稳快速旋转；而生鸡蛋由于内部液体惯性作用，旋转时不易稳定。这是一种简单有效的家庭辨别方法，适用于蛋壳完整的鸡蛋。

2.4 几种蛋类菜品的做法

2.4.1 鸡蛋羹

一、食材和调料

鸡蛋：根据食用人数准备适量鸡蛋，一般每人1～2个。选择新鲜的鸡蛋，新鲜鸡蛋的蛋壳表面粗糙，蛋黄饱满，蛋清浓稠。鸡蛋富含优质蛋白质、维生素和矿物质，是制作鸡蛋羹的主要原料。

温水：准备鸡蛋液体积1.5倍量的温水。例如，使用3个鸡蛋，大约需要准备225～270毫升的温水（一个鸡蛋的蛋液约50～60毫升）。最佳水温为40℃左右，建议使用纯净水或矿泉水，以减少杂质影响口感。温水有助于蛋白均匀凝固，使成品更加细嫩顺滑。

大葱：准备一段5～6厘米长的大葱，取葱白部分切碎备用，用于点缀鸡蛋羹，增添色泽与香气。

调料：生抽、香油、食盐等。

二、制作流程

1. 打蛋液

将鸡蛋打入碗中，用筷子（或打蛋器）朝一个方向充分搅打，直至蛋清与蛋黄完全混合，形成均匀的蛋液，搅打时间约为1分钟，避免过度搅打产生大量气泡。

搅拌均匀的蛋液

2. 加水、调味

加入适量食盐（如3个鸡蛋加2～3克食盐），再缓缓倒入约蛋液1.5倍体积的40℃左右的温水，边倒边搅拌，使温水与蛋液充分融合。搅拌均匀后，蛋液呈现出较为稀薄的状态。

3. 过滤蛋液

将滤网放置在另一个干净容器的上方，把搅拌好的鸡蛋液缓慢倒入滤网中，让蛋液通过滤网过滤到容器中。这样可以有效滤掉蛋液中的气泡和杂质，使蒸出的鸡蛋羹更加细腻。

过滤蛋液

4. 封口蒸制

将过滤后的蛋液倒入蒸碗中，盖上保鲜膜并在膜上扎数个透气小孔，以便气体排出，防止蒸制过程中保鲜膜鼓起破裂。

在蒸锅中加入适量的水，将水烧开。水开后，小心地将装有蛋液并覆盖好保鲜膜的碗放入蒸锅中；立即盖上锅盖，然后将炉灶火力调至中火，开始计时蒸制，中火蒸

12～15分钟，其间保持火力稳定。

5. 出锅调味

蒸制12～15分钟后，关闭炉灶开关，小心地打开蒸锅，取出蒸碗。揭去保鲜膜，将切好的葱花均匀地撒在鸡蛋羹上，然后在鸡蛋羹表面淋上准备好的生抽和香油。一道嫩滑可口、香气扑鼻的鸡蛋羹就制作完成了。

三、技术要点

1. 加温水，不用生自来水

制作鸡蛋羹时不能加生水，尤其不能加生自来水，因其可能含有氯气或其他挥发性物质，蒸制过程中会产生气泡，使鸡蛋羹出现蜂窝状，影响鸡蛋羹的口感和外观。

最适合加的是40℃左右的温水，这个温度的水既能使调料溶解更佳，与蛋液混合时，又能使蛋白质充分凝固，形成细腻嫩滑的质地。

2. 过滤提升品质

使用滤网过滤蛋液是制作出细腻鸡蛋羹的关键步骤。通过过滤，可以去除蛋液中的气泡和杂质，使蒸出的鸡蛋羹表面更加光滑，口感更加细腻。在过滤时，要确保滤网的孔径合适。

3. 封膜防滴水

覆盖保鲜膜并扎透气孔是为了防止蒸制过程中水蒸气滴入蛋液中，影响鸡蛋羹的质地。扎透气孔可以让蒸制过程中产生的气体排出，避免保鲜膜鼓起或破裂。同时，在揭开保鲜膜时要小心，防止被水蒸气烫伤。

4. 火候与时间要控制好

蒸制时间和火候的控制对鸡蛋羹的口感至关重要。蒸制时间过短，鸡蛋羹可能未完全凝固，口感偏稀；蒸制时间过长，鸡蛋羹会变老，出现蜂窝状。水沸后转中火蒸制12～15分钟是比较合适的时间，但具体时间还需根据鸡蛋的数量和碗的大小适当调整。在蒸制过程中要保持火力稳定，避免火力过大或过小。

2.4.2 煎鸡蛋

一、食材和调料

鸡蛋：根据需要准备适量鸡蛋，建议选用新鲜鸡蛋。新鲜鸡蛋的特征为蛋清浓稠、蛋黄饱满、不易破裂，且外壳粗糙。

色拉油：准备30～50毫升色拉油。色拉油烟点高（约230℃），适合煎制类菜肴，能减少油烟产生，保证煎蛋色泽金黄、口感滑嫩。

调料：食盐、生抽、白糖等。

二、制作流程

1. 预热锅具

将干净的平底锅置于炉灶上，开中火加热。待锅充分预热后，倒入30～50毫升常温色拉油，轻轻转动锅体或用铲子将油均匀地在锅中转动，使油充分润滑锅的内壁和锅底。这个操作可以防止鸡蛋粘锅，并且能让鸡蛋在煎制过程中均匀受热。

2. 判断油温

当油开始微微冒烟，表明油温已达到适宜煎蛋的温度（约160℃～180℃），此时可以准备打入鸡蛋。

3. 打入鸡蛋

将鸡蛋在锅边轻磕，打开后缓慢倒入锅中。打入鸡蛋后，不要立即用铲子翻动鸡蛋，也不要晃动锅。因为此时鸡蛋的蛋白还没有完全凝固，翻动或晃动容易导致鸡蛋破裂，影响煎蛋的形状和口感。保持静止状态，让鸡蛋在锅中自然受热。

煎至定型的鸡蛋

4. 煎制定型

保持中火，煎制半分钟左右。当鸡蛋的边缘部分已经开始变白并凝固，蛋白逐渐成型时，可以用铲子小心地从鸡蛋的边缘插入，轻轻将鸡蛋翻面。翻面时要动作迅速且轻柔，避免鸡蛋破裂。翻面后继续煎1～2分钟，直至蛋白完全熟透。

5. 关火焖熟

关火焖制3分钟，利用锅的余热让鸡蛋内部熟透。焖制的时间不能过长或过短，过长会使鸡蛋变老，口感变差；过短则鸡蛋内部可能未完全熟透。

6. 出锅调味

用铲子小心地将煎好的鸡蛋盛出，放入盘中。根据个人口味撒少许盐或淋上5～10毫升生抽提味，也有的人喜欢撒少量白糖提鲜。

三、技术要点

1. 热锅凉油防粘锅

热锅凉油是煎鸡蛋不粘锅底的关键步骤。先将锅烧热，再倒入冷油，这样可以使油更好地附着在锅壁上，形成一层保护膜，防止鸡蛋粘锅。

2. 静置定型后再翻面

鸡蛋刚打入锅中时，不要急于翻动，要等蛋白部分基本凝固后再进行操作。如果蛋白在锅中尚未凝固就翻动，很容易导致鸡蛋破碎，影响美观和口感。

2.4.3 韭菜炒鸡蛋

一、食材和调料

韭菜：约200～250克。宜选用叶片翠绿、质地脆嫩、无黄叶、无病虫害的新鲜韭菜，这样的韭菜香味浓郁，口感鲜嫩。

鸡蛋：6个。宜选用壳面完整、无裂纹、蛋黄饱满、蛋清浓稠的新鲜鸡蛋。

红椒：1个（可选）。用于配色增香，提高菜肴的视觉效果。

色拉油：50～80毫升。色拉油烟点高、热稳定性好，适合煎炒类菜肴。

调料：盐、白胡椒粉等。

二、制作流程

1. 原料处理

将韭菜放在流水下冲洗干净，去除表面的泥沙和杂质。摘掉韭菜根部的须根和枯黄的叶片，尽量保持韭菜的完整。然后将洗净的韭菜放在砧板上，切成大小均匀的段，段长约3～4厘米，放置在干净的容器中备用。

红椒洗净去籽，切丝或小块备用。

鸡蛋打入碗中，加入3～4克盐和1～2克胡椒粉，用筷子或打蛋器沿一个方向快速搅拌，直至蛋清和蛋黄充分混合，蛋液表面出现均匀细密的泡沫，鸡蛋液就搅拌完成了，放到一旁备用。

2. 炒鸡蛋

将平底锅置于炉灶上，开小火，倒入少许色拉油（约20～30毫升）。待油温热后，将搅拌好的鸡蛋液倒入锅中。此时不要急于翻动鸡蛋液，让鸡蛋液在锅中自然摊开。当鸡蛋液底部开始凝固时，用锅铲快速划散。轻炒至鸡蛋完全凝固，呈金黄色，且表面略微蓬松。将炒好的鸡蛋盛出，放入半成品容器中备用。

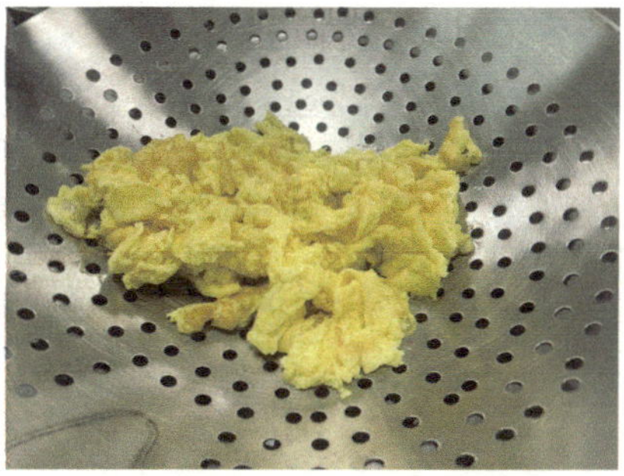

鸡蛋炒到完全凝固、金黄、蓬松

3. 炒韭菜

在锅中再加入少许色拉油（约20～30毫升），开中火，待油热后，将切好的韭菜段倒入锅中。迅速用锅铲翻炒，让韭菜与油充分接触。

锅中倒入韭菜段

韭菜在炒制过程中会逐渐变软，散发出浓郁的香味，当韭菜炒至断生，即颜色变得更加翠绿、质地稍软但仍保持一定的脆度时，停止翻炒。

4. 合炒调味

将炒好的鸡蛋倒入锅中，与韭菜一起翻炒均匀，加入2～4克盐调味，快速翻炒均匀后即可出锅装盘。

韭菜炒好后倒入炒好的鸡蛋合炒

三、技术要点

1. 鸡蛋炒制技巧

鸡蛋遇热易凝固，在炒制时要注意火候和时间的把握。油温不宜过高，小火煎制能使鸡蛋均匀受热，避免外焦里生。倒入鸡蛋液后不要急于翻动，待底部凝固后再划散。炒至鸡蛋完全凝固且表面蓬松，口感才会滑嫩。

调味

2. 韭菜炒制技巧

韭菜含水量高，炒制时间过长容易出汤，导致质地软烂、口感下降。因此，炒制韭菜时要开中火，快速翻炒，让韭菜在短时间内受热均匀。加入盐后要迅速翻炒，使盐均匀分布。韭菜炒至断生即可，不要过度炒制，以保持其脆嫩的口感和鲜美的味道。

3. 主料炒制顺序

鸡蛋与韭菜成熟速度不同，要掌握好韭菜和鸡蛋的成熟度，鸡蛋炒好后先盛出，待韭菜炒至断生后再加入鸡蛋一起翻炒。这样可以避免鸡蛋与韭菜一起炒制时过度受热变老，同时也能保证韭菜的脆嫩口感，使两者的味道和口感相互融合，达到最佳的烹饪效果。

2.4.4 番茄（西红柿）鸡蛋汤

一、食材和调料

新鲜番茄：2～3个（约300克），洗净去皮，切成小丁。这是汤品风味的主要来源。

番茄酱：50～80克（可根据个人口味适当调整）。选用优质番茄酱或番茄膏。

鸡蛋：2～3个。选用壳面完整、无裂纹、蛋黄饱满、蛋清不易流动的新鲜鸡蛋。

色拉油：20～30毫升。用于炒制番茄酱，增强香气。

水淀粉：适量。用于勾芡，提升汤品质感。

调料：食盐、白糖、鸡精、味精等。

二、制作流程

1. 打蛋液

搅打蛋液

将鸡蛋打入碗中，加入少许盐（可选），用筷子或打蛋器充分搅打至蛋清与蛋黄完全融合，蛋液表面出现均匀细密的泡沫，鸡蛋打散完成，放置一旁备用。

2. 炒制番茄

将锅洗净，置于炉灶上，开小火，倒入少许色拉油。待油温热后，将切好的番茄丁倒入锅中，用铲子不断翻炒。炒至番茄软烂出汁时，加入番茄酱，继续翻炒出红油和香气。这个过程大约需要2～3分钟，要注意观察番茄的状态，避免炒焦。

3. 煮汤调味

番茄煸炒出香味后，向锅中加入适量白开水，水量可根据锅的大小和用餐人数决定，一般2～3升的锅加入1.5～2升水。加水后，将炉灶火力调至大火，盖上锅盖，等待水烧开。

水烧开后，打开锅盖，依次加入3～5克盐、5～10克糖、3～5克鸡精和2～3克味精。加入调料后，用勺子搅拌均匀，使调料充分溶解在汤中。尝一下汤的味道，根据个人口味适当调整调料的用量。

煸香番茄酱后加水

水开后调味

4. 勾芡

在碗中加入适量淀粉，倒入少许清水，搅拌均匀，制成水淀粉。淀粉与水的比例一般为1∶3～1∶4。将水淀粉缓慢倒入锅中，同时用勺子轻轻搅拌，使汤汁逐渐浓稠。勾芡时要注意观察汤汁的状态，当汤汁变得浓稠且能均匀包裹食材时，即可停止倒入水淀粉。

5. 淋入蛋液

汤汁勾芡完成后，将打散的鸡蛋液缓慢、均匀地淋入锅中。蛋液入锅后稍待几秒，再用勺子推散，使蛋液在汤中形成均匀、细小的蛋花。推散动作要迅速，避免蛋花过大或结块。

加入水淀粉勾芡

淋入蛋液

6. 出锅装碗

蛋花形成且搅拌均匀后，迅速关火，将煮好的番茄（西红柿）鸡蛋汤用勺子小心地盛出，装入准备好的碗中，一道美味的番茄（西红柿）鸡蛋汤就制作完成了。

三、技术要点

1. 蛋液处理技巧

蛋液入锅前要充分打散，搅打均匀，使其流动性强，这样在淋入锅中时才能迅速均匀地凝固成细嫩的蛋花。搅打蛋液时，沿一个方向快速搅拌，能使蛋清和蛋黄更好地融合，形成均匀的蛋液，且搅打至表面出现细密泡沫为佳。

2. 番茄的炒制原则

煸炒番茄是提升汤品风味的重要步骤。应先炒新鲜的番茄，将其炒软炒至出沙，这是汤味醇厚的关键。然后加入番茄酱，小火煸炒，使番茄酱中的风味物质充分释放，同时辅助增色提味，使汤品的番茄味道更加浓郁、醇厚。煸炒过程中要不断翻炒，确保番茄酱受热均匀。

3. 勾芡控制要点

勾芡时水淀粉的浓度和倒入速度很关键。浓度过高会使汤汁过于浓稠，影响口感；浓度过低则无法达到勾芡效果。倒入水淀粉时要缓慢，同时不停搅拌，使汤汁均匀浓稠。淋入蛋液后迅速搅拌，能使蛋花均匀分布在汤中。

2.4.5　茶叶蛋

一、食材和调料

鸡蛋：6～8个，选用壳面完整、无裂纹、新鲜度高的鸡蛋。

茶叶：红茶10克，赋予茶香色泽与风味。也可选用黑茶或绿茶。

香料类：

八角：5克，提供辛香风味。

桂皮：5克，增添香气，提升卤味层次。

丁香：5粒，其香味浓郁，用量不宜过多。

花椒：3克，略带麻香，增强卤味口感。

小茴香：10克，小茴香常用于卤制类菜肴，增香去腥。

香叶：5片，增加清香，平衡香料味道。

部分香料图

调味类：

盐：20克，用于调味，可根据个人口味调整。

生抽：50毫升，用于调咸味和提鲜，增加汤汁颜色。

二、制作流程

1. 清洗鸡蛋

将鸡蛋放入清水中轻轻搓洗，去除表面灰尘及可能附着的细菌，避免在煮蛋过程中污染蛋液。

2. 煮蛋后冷却

锅中加水（水量以能淹没鸡蛋为宜），冷水下锅，中火加热至水沸后继续煮8～10分钟，使鸡蛋完全熟透。煮好后立即捞出，放入凉水中浸泡片刻，便于剥壳。

煮好的鸡蛋

鸡蛋煮好后用冷水浸泡

3. 敲碎蛋壳

将过凉水的鸡蛋捞出，用勺子或其他工具轻轻敲碎蛋壳，使蛋壳表面出现裂纹，这样有助于茶叶蛋在煮制过程中更好地入味。

敲蛋时蛋壳出现裂纹即可

4. 熬制卤汁

在锅中加入适量清水，放入八角、桂皮、丁香、花椒、小茴香、香叶、盐、红茶和生抽，搅拌均匀，大火烧开后转小火慢煮30分钟，使香料充分释放香味。

5. 卤制入味

将敲好的鸡蛋放入卤汁中，确保完全浸没。先用大火将汤汁烧开，然后转小火慢煮，让鸡蛋在汤汁中充分入味。煮的时间可以根据个人口味和喜好来调整，一般建议煮20～30分钟，使鸡蛋充分吸收香料和茶香，这样鸡蛋会更加入味。

6. 浸泡增香

关火后让鸡蛋继续在卤汁中浸泡至少4小时（隔夜风味更加），可使味道更加浓郁。

三、技术要点

1. 敲蛋技巧

敲碎蛋壳时应掌握力度，使蛋壳产生细密裂纹即可，不要敲得太碎，避免用力过猛导致蛋壳破碎脱落，影响成品美观。

2. 控制卤汁浓度

煮制过程中要注意观察水量，随着煮制时间的延长，水分会逐渐蒸发，导致汤汁浓缩、咸度上升，需适时补充少量清水，保持适宜浓度。

3. 灵活选择茶叶

茶叶可根据个人口味选择。红茶或普洱茶风味浓郁，色泽红亮，适合喜欢重口者；绿茶清香淡雅，适合追求清淡风味的人群。

2.4.6 香葱炒鸡蛋

一、食材和调料

鸡蛋：5个。选用壳面完整、无裂纹、蛋黄饱满、蛋清浓稠的新鲜鸡蛋。

香葱（葱花）：15～20克，洗净切碎，用于提香增色。

色拉油：30～50毫升，用于炒制。

调料：

食盐4～5克，分两次加入。

鸡精2～3克（可选），用于提鲜。

香油5～10毫升，用于增香。

二、制作流程

1. 打蛋液

将鸡蛋打入碗中，用筷子或打蛋器充分搅打至蛋清与蛋黄完全融合，形成均匀的蛋液。打散鸡蛋时要尽量多搅拌一会儿，让蛋液更加细腻，这样炒出的鸡蛋口感更好。

鸡蛋搅打均匀后调味

2. 初次调味

加入2～3克盐和2～3克鸡精，再次用筷子搅拌均匀，使调料充分溶解在蛋液中。

3. 加入葱花

把切好的15～20克葱花放入蛋液中，用筷子搅拌均匀，让葱花均匀地分布在蛋液中。葱花的加入不仅能增添香味，还能使炒鸡蛋的颜色更加丰富。

加入葱花后搅匀

4. 炒制蛋液

在锅中倒入30～50毫升色拉油，开小火，待油温达到三成热时（将筷子插入油中，周围出现少量均匀的小气泡），将搅拌好的蛋液倒入锅中。用铲子轻轻推动蛋液，使蛋液在锅中均匀铺开，避免蛋液结块。推动蛋液时要轻柔，防止蛋液破碎。

倒入蛋液

5. 二次调味

当蛋液开始凝固，表面呈现出半熟的状态时，用铲子将鸡蛋切成块状。此时加入1～2克盐和5～10毫升香油，进行二次调味。盐的用量可根据个人口味适当调整，香油能为鸡蛋增添独特的香味。用铲子将鸡蛋块翻炒均匀，使调料充分融入鸡蛋中。

翻炒均匀

6. 翻炒出锅

继续翻炒1～2分钟，直至鸡蛋完全熟透、表面金黄、香气四溢，即可出锅装盘。

三、技术要点

1. 轻推防粘连

蛋液入锅后不要急于翻动，等底部凝固后再轻轻推动，有助于受热均匀，避免结块。

2. 用油适中口感佳

鸡蛋吸油性强，适量用油能使其口感更嫩滑，建议使用30～50毫升色拉油。

3. 掌握火候是关键

开始时用小火，让蛋液慢慢凝固，避免蛋液表面快速变焦而内部未熟。当蛋液逐渐凝固后，可以适当调高火候，将鸡蛋炒熟炒香。但要注意控制时间，鸡蛋避免过老。

生活小贴士

- **鸡蛋的正确储存方式**

鸡蛋在冰箱中冷藏储存时，要将鸡蛋的大头朝上、小头朝下直立存放。这样可以帮助稳定蛋黄的位置，防止其靠近蛋壳，从而减少微生物侵入的风险。同时，这样的存放方式有助于保障蛋白的质量。

- **避免清洗鸡蛋表面**

购买后尽量不要清洗鸡蛋表面，因为这样做会破坏鸡蛋表面天然存在的保护膜，使得细菌更容易通过气孔进入蛋内。如果需要清洁，可以用干布轻轻擦拭。

- **检查鸡蛋新鲜度的方法**

除了沉水测试（新鲜的鸡蛋会在水中下沉），还可以通过观察蛋黄与蛋白的状态来判断。新鲜的鸡蛋打开后，蛋黄应该是圆润饱满且位于中心位置，而蛋白则是清澈透明且紧紧围绕着蛋黄。

- **合理规划食用顺序**

为了保证食用的新鲜度，应该遵循“先进先出”的原则，即先吃最早买回来的鸡蛋。可以在鸡蛋上标记购买日期以方便管理。

- **温度控制很重要**

从冰箱取出的鸡蛋不宜长时间放置在室温下，特别是夏天高温季节，因为这会导致鸡蛋表面凝结水汽，增加细菌污染的风险。同样地，刚买的常温鸡蛋也要尽快放入冰箱冷藏，以防抑制细菌繁殖。

- **识别坏蛋的小技巧**

摇晃鸡蛋听声音是一种简单有效的检测方法。如果轻轻摇动时听到明显的晃动声，说明内部可能已经变质或发霉，这样的鸡蛋最好不要食用。

第3章

蔬菜的加工知识

3.1 蔬菜的营养价值

蔬菜富含多种矿物质、维生素和膳食纤维，是人类饮食中不可或缺的重要组成部分。根据《中国居民膳食指南（2022）》的建议，成年人每日应摄入不少于300～500克的新鲜蔬菜，以满足身体对各类营养素的需求。

蔬菜根据其可食用部位分为以下几类：

叶菜类：如白菜、苋菜、菠菜等。

茎菜类：如芹菜、莴笋等。

花菜类：如西蓝花、花椰菜等。

果菜类：如番茄、青椒、黄瓜等。

根茎类：如胡萝卜、土豆、山药等。

3.1.1 人体所需维生素的蔬菜来源

维生素是人体维持正常生理功能所必需的一类微量有机化合物，在机体的生长、代谢和发育过程中起着重要的调节作用。它们既不构成细胞结构，又不直接提供能量，但许多维生素是酶的辅因子或抗氧化剂，在物质代谢、免疫调节等方面具有关键作用。

人体所需维生素广泛存在于食物（尤其是蔬菜）中。蔬菜是维生素摄入的“多面手”，很多人体所需的维生素都大量存在于蔬菜中。例如：

维生素A（β-胡萝卜素）：常见于深绿色和橙黄色蔬菜中，如胡萝卜、南瓜、菠菜等；

维生素C：广泛存在于辣椒、芥蓝等蔬菜中；

维生素K：多见于绿叶蔬菜，如甘蓝、油麦菜等；

B族维生素：如叶酸，存在于绿叶蔬菜中，有助于胎儿神经管发育。

3.1.2 保留蔬菜营养的烹饪要点

1. 先洗后切

完整的蔬菜，营养物质是包含在细胞壁里面的。用刀一切，部分细胞就破裂了，所含维生素接触空气和氧化酶被氧化，还会溶到水里从而产生流失。所以，蔬菜应在完整状态下先清洗再切割。

2. 不宜切得太碎

蔬菜切得越细碎，细胞破裂面积越大，营养损失也越多。例如蔬菜榨汁会造成蔬菜细胞大面积受损，易造成营养成分提前或加速进入氧化期，从而带来营养的流失。

3. 尽快烹饪，避免久置

蔬菜在长时间的存放过程中，会产生自然氧化，导致养分流失。切好后的蔬菜应尽快烹饪，不完整的蔬菜长时间存放或浸泡，会导致水溶性维生素（如维生素C、B族维生素）流失。

4. 控制加热时间与温度

过度加热会使部分维生素（尤其是维生素C）遭到破坏，建议采用快炒、蒸煮等方式，减少营养损失。

3.1.3 防农残、灭细菌、保营养要兼顾

1. 生吃要注意安全

生吃蔬菜能最大程度保留营养成分，但必须清洗彻底，去除表面泥土、杂质及可能存在的农药残留，确保食品安全。

2. 避免生食有毒蔬菜

某些蔬菜（如豆角、扁豆等）含有天然毒素（如皂苷、红细胞凝集素等），生食可能引发恶心、呕吐等中毒症状，必须经过充分加热处理后方可食用。

3.2 蔬菜的常用烹饪技法

1. 爆炒：爆炒蔬菜即通过短时间高温加热，减少水分流失，并迅速破坏氧化酶活性，从而有效保留蔬菜中的维生素，尤其是维生素C。这种烹饪方法的关键在于控制火候，食材需均匀切制，快速翻炒，通常烹饪时间控制在1～3分钟，以减少维生素的氧化损失。

2. 白灼：采用整棵蔬菜不切碎的方式进行烹饪，有利于营养成分的保存。焯水时应严格控制时间，根据不同蔬菜种类和大小，通常在30秒～2分钟之间。快速捞出后避免挤压蔬菜，以保留汁液中的水溶性维生素。焯水处理还能有效去除蔬菜中的草酸、亚硝酸盐、农药残留，并杀灭致病微生物和寄生虫，提高食用安全性。

3. 蒸：蒸制过程中不加水，且盖上锅盖可防止水分过度流失，有助于保持蔬菜的原汁原味和营养成分。需注意控制蒸制时间，避免过度蒸制，不同蔬菜的蒸制时间应根据其种类和厚度适当调整，通常使用中火，确保蔬菜在保持口感的同时最大限度地保留营养。

4. 加醋烹饪：在蔬菜制作过程中添加醋，可以降低烹饪环境的pH值，有助于稳定维生素C等水溶性维生素，减少其在烹饪过程中的降解，从而更好地保存蔬菜中的营养素。同时，醋的加入也能提升菜品的口感。

5. 适量、晚加盐：过早添加盐会导致蔬菜细胞渗透压改变，使汁液过多渗出，不仅造成水溶性维生素的流失，还会影响菜品的口感和外观。建议在烹饪后期适量添加盐，以减少营养素流失，保持蔬菜的风味和营养价值。

6. 充分利用菜汁：为了充分利用蔬菜中的营养成分，可在煮粥即将出锅时加入菜叶，或在蒸蛋羹时放入菜叶，使菜叶中溢出的汁液融入食物中，从而更好地保留蔬菜中的营养。这种方法不仅增加了食物的口感层次，还提高了食物整体的营养价值。

3.3 几种蔬菜类菜品的做法

3.3.1 蒸菜蒜蓉酱

一、食材和调料

新鲜大蒜：选新鲜、蒜瓣饱满、无发芽、无腐烂的大蒜。根据个人口味和使用量准备，一般制作蒜蓉酱需要大蒜500克左右。将大蒜去皮后，用刀切成碎末。尽量切得细碎一些，这样炸制出的蒜蓉酱口感更好。

姜末：新鲜生姜，选取表皮光滑、无黑斑的生姜。准备100克左右生姜，去皮后切成碎末备用。

食用油：可选用大豆油、玉米油、花生油等植物油，这些油具有较高的烟点，适合炸制。准备500～800毫升食用油，具体用量可根据锅的大小和食材的多少进行调整。

调料：盐适量（约2克），白糖少许（约2克），鸡精或味精适量，蚝油5克（可选），鸡汁数滴（可选）。

二、制作流程

1. 处理姜蒜

将大蒜去皮，切成极细的蒜末；生姜同样去皮后剁成细末备用。

2. 热油炝香

油量要没过蒜末和姜末

将油锅放置在炉灶上，倒入适量食用油，油量以能没过蒜末和姜末为宜。打开炉灶开关，调至中火，让油慢慢升温。当油温达到约120～150℃时（可通过观察油面，微微冒烟即为合适油温），先放入切好的姜末。此时要迅速用锅铲搅拌，让姜末均匀受热，避免局部过热烧焦。姜末在油中翻炒约1～2分钟，直至散发出浓郁的姜香味。接着放入切好的蒜末，但要预留少许蒜末（约占总蒜末量的五分之一），用于后续步骤。同样用锅铲搅拌均匀，使蒜末均匀分布在油中。

3. 小火慢炸

将炉灶火力调至小火，让蒜末在低温下慢慢炸制。这一步需要耐心，持续搅拌，防止蒜末粘锅。随着炸制的进行，蒜末的颜色会逐渐发生变化，从白色变为浅黄色，再慢慢变成金黄色。同时，蒜末的水分会逐渐蒸发，体积也会有所缩小，最终呈现出漂浮在油面上的状态。这个过程大约需要10～15分钟，具体时间会因火力大小和蒜末的多少而有所不同。当蒜末炸至金黄且漂浮在油面上时，说明其水分已基本炸干，此时即可关火。

炸干水分的蒜末

4. 调入生蒜末与调味

关火后，在预留的生蒜末中依次加入白糖、盐、胡椒粉、蚝油、味精、鸡汁等进行调味。加入调料时，要边加边搅拌，让调料与蒜末混合均匀。可以根据个人口味适当调整调料的用量，比如喜欢甜一点的可以多加点白糖，喜欢咸一点的可适当增加盐的用量。将榨干水分的熟蒜末与调味后的生蒜末搅拌均匀后静置片刻，使味道充分融合，蒜香层次更加丰富。

这种蒜蓉酱可用于烹饪各种菜肴，如蒜蓉粉丝蒸扇贝、蒜蓉西蓝花等。

5. 装罐保存

准备一个干净的容器，如玻璃罐或陶瓷罐，确保容器干燥无水渍，以免影响蒜蓉酱的保存。尽量将蒜蓉酱压实，减少空气进入。如果容器较大，一次制作的蒜蓉酱装不满，可以将剩余的油倒入容器中，没过蒜蓉酱，这样能起到隔绝空气、延长保质期的作用。

待蒜蓉酱冷却后，盖上容器盖子，放置在阴凉干燥处保存。自制的蒜蓉酱在常温下可保存一两周，放入冰箱冷藏可保存一两个月。

给预留的生蒜末调味

做好的蒜蓉酱

三、技术要点

1. 蒜末不宜水洗，否则易吸水，炸制时易溅油、不易酥脆。
2. 全程保持小火，避免蒜末炸煳变苦。
3. 预留部分生蒜末与熟蒜末混合，能显著提升蒜香的层次。
4. 调味应在关火后进行，以防高温破坏调料风味。
5. 装罐前务必确保容器干燥无水，防止霉变。

3.3.2 丝瓜蒸虾仁

一、食材和调料

虾仁：选用新鲜整虾，外壳坚硬有光泽，虾眼突出，肉质富有弹性。根据用餐人数适量准备（一般每人3～5只），去头、去壳、去虾线后清洗干净，加少许料酒、白胡椒粉、盐和淀粉腌制5～10分钟，静置去腥，使用前滤去多余汁液。

丝瓜：选择表皮光滑、无黑斑、质地硬挺的丝瓜，长度25～30厘米，粗细均匀。根据食用人数准备1～2根，削皮后切成长约1厘米的厚片。

龙口粉丝：100～150克，用60℃的热水浸泡至柔软，捞出过冷水并沥干备用。

蒜蓉酱：市售或自制蒜蓉酱，用于调味提香。

香葱：2～3根，洗净后切成细葱花（长0.3～0.5厘米），用于出锅点缀，增加香味。

调料：料酒、白胡椒粉、盐和淀粉等。

二、制作流程

1. 预处理食材

丝瓜去皮切厚片，取一个干净的容器（如陶瓷盘），将切好的丝瓜片均匀地铺在盘子底部，形成一层垫底。丝瓜之间可以稍微紧凑一些，但不要重叠，确保每块丝瓜都能与蒸汽充分接触。

在丝瓜块上铺放烫软并沥干水分的龙口粉丝，粉丝要尽量铺得均匀平整，厚度约为1～1.5厘米。铺好后，用筷子稍微整理一下粉丝的形状。

将腌制好并沥干水分的虾仁按照一定的顺序摆放在粉丝上，可以摆成圆形、方形等图案，增加菜肴的美观度。摆放时要注意虾仁之间保持适当的间距，以便在蒸制过程中受热均匀。

2. 铺蒜蓉酱

在摆好的虾仁上均匀地铺一层蒜蓉酱。蒜蓉酱的用量可根据个人口味调整，一般每只虾仁上涂抹约0.5～1克蒜蓉酱。涂抹时要尽量将蒜蓉酱均匀地覆盖在虾仁表面，使其在蒸制过程中充分渗透到食材中，增添风味。

3. 蒸制

大火将水烧开后，放入蒸盘，计时蒸8～10分钟，直至虾仁完全变红、质地紧实。

蒸好后关火，静置1～2分钟，让水蒸气稍微散去一些再小心地开盖，避免水蒸气骤减影响口感。

4. 点缀出锅

在菜肴表面撒上切好的葱花，一道美味的丝瓜蒸虾仁就完成了。

三、技术要点

1. 虾仁处理要彻底

去头、去虾线是提升食材鲜味和去除腥气的关键步骤。去头时要尽量剪干净，避免残留虾头的异味；去虾线时要小心操作，确保将虾线完整地挑出，否则残留的虾线会影响虾仁的口感和味道。

2. 摆盘讲究顺序与技巧

丝瓜垫底、粉丝铺设以及虾仁摆放的顺序和方式会影响菜肴的整体口感和美观度。丝瓜块要铺得均匀，为粉丝和虾仁提供稳定的支撑；粉丝要烫软并沥干水分，避免过多水分影响菜肴的口感；虾仁摆放要整齐且有间距，保证受热均匀。

3. 控制蒸制时间和火力

准确控制蒸制时间和温度是保证菜肴质量的重要因素。8～10分钟的蒸制时间既能确保虾仁熟透，又能保持丝瓜的鲜嫩口感。如果蒸制时间过短，虾仁可能未熟透，存在食品安全隐患；如果蒸制时间过长，虾仁会变老，丝瓜也会变得过于软烂，影响口感。

4. 蒜蓉酱用量适中

每只虾仁上涂抹0.5～1克蒜蓉酱即可，不宜过多以免掩盖海鲜原味，也不宜过少影响风味。

5. 出锅前撒葱花增色提香

葱花应在蒸好后再撒，以保持翠绿色泽和清香味道。

3.3.3 白灼菜心

一、食材和调料

菜心：选择植株完整、叶片翠绿有光泽、茎部鲜嫩无发黄的优质菜心。根据用餐人数准备，每人约3～5棵。去除根部老硬部分及老叶，保留嫩茎与嫩叶部分。

红椒：选用表皮光滑、色泽鲜艳的新鲜红椒1个，去籽后切成细丝，宽度0.2～0.3厘米，长度1～2厘米，用于点缀提色。

大葱：取葱白部分5～6厘米，切成与红椒丝相同规格的葱白丝，用于装饰提香。

蒸鱼豉油：具有鲜香咸味，适量使用可提升菜心风味。可根据菜量和个人口味调整用量，一般每份使用10～15毫升。如口味清淡，可适当稀释。

二、制作流程

1. 预处理食材

菜心清洗干净，去除黄叶和老根；红椒洗净切丝备用。

2. 焯水

准备一锅足量清水，大火烧开。水沸后，先将菜心根部放入沸水中。这是因为菜心根部相对较粗，不易熟透，先焯水15秒，让根部初步受热。

菜心焯水时先烫根部

15秒后，将整棵菜心缓缓放倒在沸水中，让菜心完全浸没在水中。其间轻轻翻动菜心，确保其各个部位受热均匀。菜心在沸水中焯至断生即可，一般时间为30～40秒（总计焯水时间45～55秒），此时菜心颜色变得更加翠绿，质地稍变软，但仍保持一定的脆嫩度。

迅速用漏勺将焯好水的菜心捞出，放入准备好的冰水或冷水中浸泡片刻，这能让菜心快速降温，锁住其脆嫩口感和翠绿色泽，防止余热使菜心继续受热变软。

3. 控水摆盘

浸泡1～2分钟后，将菜心从冷水中捞出，摊开放在干净的厨房纸巾或滤网上，充分控干水分。

取一个干净的成品容器，比如陶瓷盘。将控干水分的菜心按照一定顺序整齐码放在盘中，撒上红椒丝和葱白丝。

4. 调味后上桌

将蒸鱼豉油沿着盘子边缘缓慢、均匀地淋在菜心表面，使每棵菜心都能吸收酱汁风味，即可上桌。

三、技术要点

1. 焯水顺序有讲究

焯水时先将菜心根部放入沸水约15秒，这一操作能让较粗的根部率先受热，为后续整体焯水时均匀熟透奠定基础。若直接将整棵菜心放入水中，可能导致根部未熟而叶片过熟。

2. 焯水时间要精准

菜心在沸水中的总焯水时间控制在45～55秒为宜。时间过短，菜心未断生，口感生硬且可能存在卫生隐患；时间过长，菜心会失去脆嫩口感，变得过于软烂，营养成分也会大量流失。

3. 焯水后立即冷却

这步操作有助于锁住翠绿色泽和脆嫩的口感，防止余热导致过度熟化。

4. 充分控干水分

焯完水的菜心必须充分控干水分后再摆盘调味。若菜心表面残留过多水分，会稀释蒸鱼豉油的味道，使菜品味道寡淡，同时多余水分还可能影响菜品的整体造型。

5. 合理使用蒸鱼豉油

蒸鱼豉油咸鲜味浓，可根据个人口味适当稀释使用，避免过咸。

6. 点缀讲究比例与色彩

红椒丝与葱白丝适量点缀，既美观又提香，但不宜过多，以免喧宾夺主。

3.3.4 营养小炒

一、食材和调料

南瓜：挑选表皮坚硬、色泽鲜艳、无腐烂斑点的南瓜。根据食用人数准备适量南瓜，一般每人100～150克。南瓜富含多种维生素和膳食纤维，为菜肴增添丰富营养。

芥兰：选择植株完整、叶片翠绿有光泽、茎部鲜嫩无发黄迹象的芥兰。芥兰具有独特的清香，能为菜肴增添风味。准备量可根据个人喜好，一般每人50～80克。

鲜核桃仁：鲜核桃仁口感鲜嫩，营养丰富。挑选外壳完整、果仁饱满的鲜核桃，然后去壳取出果仁。根据食用人数准备，每人30～50克。

彩椒：彩椒有红、黄、绿等多种颜色，可为菜肴增添丰富色泽。选取表皮光滑、无褶皱、色泽鲜艳的彩椒，准备1～2个（100～150克）即可。

红腰豆：红腰豆可选用罐装或干制的。若使用干制红腰豆，需提前浸泡至膨胀，然后煮熟备用。罐装红腰豆使用更方便，直接开罐沥干水分即可。准备量为100～150克。

茭白：挑选表皮光滑、质地硬挺、无黑斑的茭白。茭白口感鲜嫩，为菜肴增添独特口感。根据食用人数准备，每人80～120克。

调料：盐、糖、鸡精、淀粉、食用油等。

二、制作流程

1. 预处理食材

将南瓜、茭白、彩椒、芥兰洗净。南瓜去皮去籽，茭白去皮，彩椒去籽，芥兰去硬根。然后将它们与鲜核桃仁一起放在砧板上，改刀成大小差不多的块状。块的大小一般控制在2～3厘米见方，确保在炒制过程中受热均匀。切好后将食材放置一旁备用。

处理好的食材放在盘中备用

2. 焯水

在锅中倒入足够量的水，烧开。依次将南瓜、茭白、芥兰、核桃仁放入锅中焯软，初步成熟。因为核桃仁质地较嫩，不宜焯水时间过长，以免影响口感。待它们断生后(芥兰颜色变得更加翠绿，彩椒稍微变软)，立即用漏勺将所有食材捞出，放入半成品容器中控水。

根据食材质地有序焯水

焯完水的食材控水备用

3. 炒制调味

将炒锅清洗干净，重新置于炉灶上。开小火，倒入少许食用油。待油温热后，将滑油并沥干水分的南瓜、茭白、鲜核桃仁、芥兰、彩椒和红腰豆等主辅料一起倒入锅中。

迅速开大火，用锅铲快速翻炒，使食材均匀受热。翻炒1～2分钟后，加入适量盐、糖和鸡精进行调味；之后继续翻炒，让调料充分溶解并与食材混合均匀。调味过程中可根据个人口味适当调整调料的用量。

合炒食材

4. 勾芡与淋油

在碗中加入适量淀粉，倒入少许清水，搅拌均匀，制成水淀粉。淀粉与水的比例通常为1∶3～1∶4。将水淀粉缓慢倒入锅中，同时用锅铲轻轻搅拌，使汤汁逐渐浓稠。勾芡时要注意观察汤汁的状态，当汤汁变得浓稠且能均匀包裹在食材表面时，即可停止倒入水淀粉。最后，沿着锅边淋入少许食用油，继续翻炒几下，使菜肴表面更加油亮有光泽。淋油后迅速关火，将菜肴出锅装盘，一道美味的蔬菜小炒就完成了。

三、技术要点

1. 食材大小一致

将南瓜、茭白、彩椒、芥兰、核桃仁等切成大小基本一致的块状，能使它们在炒制过程中受热均匀，成熟度一致。如果食材大小不一，小的食材可能已经熟透甚至炒焦，而大的食材还未熟。

2. 分段焯水处理

在炒制前进行焯水处理，能让主辅料达到基本统一的成熟度。不同食材的成熟时间不同，通过焯水，可先将较难熟的南瓜、茭白、核桃仁等初步加热至半熟状态，这样在后续炒制时，所有食材能在较短时间内同时炒熟，保证口感的一致性。

3. 合理勾芡

勾芡的目的是使汤汁浓稠，更好地包裹在食材表面，锁住食材的营养和风味。同时，浓稠的汤汁能增加菜肴的口感层次。在勾芡时，要注意水淀粉的浓度和倒入的速度，浓度过高会使汤汁过于浓稠，影响口感；浓度过低则无法达到勾芡的效果。倒入速度过快可能导致汤汁结块，不均匀。

4. 明油提亮增香

淋油能使成品菜肴更加有光泽，提升菜品的视觉效果。淋入的油在高温下能迅速在菜肴表面形成一层油膜，不仅让菜肴看起来更加诱人，还能在一定程度上防止食材中的水分蒸发，保持食材的鲜嫩口感。“明油亮芡”既美观，又能保障菜品的口感，留住蔬菜的营养素，避免营养流失。

5. 营养搭配多样

本菜融合多种蔬菜与坚果，富含维生素、膳食纤维与植物蛋白，适合追求健康饮食者食用。

3.3.5 素炒三丝

一、食材和调料

胡萝卜：挑选表皮光滑、色泽鲜艳、无黑斑、无裂缝的胡萝卜。根据食用人数准备，一般每人100～150克。胡萝卜富含维生素和胡萝卜素，为菜肴增添丰富营养。

木耳：可选用干木耳，干木耳需提前泡发。选择质地坚硬、无异味、朵大肉厚的干木耳。泡发时，将干木耳放入温水中，浸泡1～2小时，直至木耳完全膨胀变软。泡发好的木耳根据食用人数准备，一般每人50～80克。木耳富含膳食纤维和多种矿物质，是很好的食材。

青椒：选取表皮光滑、无褶皱、色泽翠绿、质地硬的青椒。青椒为菜肴增添清爽口感和丰富色泽。准备量可根据个人喜好，一般每人80～120克。

小葱：准备2～3根小葱，用于增添香味。小葱要新鲜，叶片翠绿，无发黄，不枯萎。

调料：盐、味精、鸡精、色拉油等。

二、制作流程

切好的“三丝”

1. 预处理食材

将胡萝卜洗净，削去外皮，然后放在砧板上，用刀切成细丝。切丝时尽量切得粗细均匀，丝的粗细一般控制在0.2～0.3厘米，这样在炒制过程中能更好地受热均匀。切好后将胡萝卜丝放置一旁备用。

把泡发好的木耳洗净，去除根部杂质，然后切成与胡萝卜丝粗细相似的丝。木耳丝不宜切得太粗，以免影响口感和成熟度。切好后放在碗中备用。

青椒洗净，去籽去蒂，同样放在砧板上切成丝。青椒丝的粗细也控制在0.2～0.3厘米。切好后与胡萝卜丝、木耳丝分开放置。

小葱洗净，切成葱末，葱末的长度约为0.5～1厘米，切好后放在小碗中备用。

2. 焯水

烧一锅足量的开水，将锅置于炉灶上，开大火。待水完全沸腾后，先放入胡萝卜丝。由于胡萝卜相对较硬，不易成熟，焯水时间可控制在1～2分钟，让胡萝卜丝稍微变软，但仍保持一定的脆度。

接着放入木耳丝，木耳已经泡发，但仍需焯水进一步去除杂质和异味，同时使其口感更脆爽。木耳丝焯水时间为30秒～1分钟。最后放入青椒丝，青椒丝比较容易熟，焯水时间控制在10～20秒。当青椒丝颜色变得更加翠绿时，立即用漏勺将三种食材一起捞出。

胡萝卜丝先焯水

依次放入胡萝卜丝、木耳丝、青椒丝等焯水

捞出的食材放入冷水中浸泡，这能让食材快速降温，锁住其鲜艳的色泽和脆嫩的口感。浸泡1～2分钟后，将食材从冷水中捞出，放在干净的厨房纸巾或滤网上，充分控干水分。

3. 炒制调味

将炒锅清洗干净，置于炉灶上，开小火，倒入适量色拉油。待油温热后，放入切好的葱末。迅速将火调至中火，用铲子翻炒葱末，直至葱末散发出浓郁的香味。

合炒调味

香味溢出后，立即将焯好水并沥干水分的胡萝卜丝、木耳丝和青椒丝倒入锅中。开大火，用铲子快速翻炒，使食材均匀受热。

翻炒1～2分钟后，加入适量盐、鸡精和味精进行调味。用勺子将盐、鸡精和味精均匀地撒在食材上，然后继续翻炒，让调料充分溶解并与食材混合均匀。调味过程中可根据个人口味适当调整调料的用量。

4. 明油亮芡

沿着锅边淋入少许色拉油，淋油的量约为5～10毫升。淋油后迅速用铲子翻炒几下，使菜肴表面更加油亮有光泽。淋入的油在高温下能迅速在菜肴表面形成一层油膜，不仅让菜肴看起来更加诱人，还能在一定程度上防止食材中的水分蒸发，保持食材的鲜嫩口感。翻炒均匀后，迅速关火，将菜肴出锅装盘，一道美味的素炒三丝就完成了。

三、技术要点

1. 分段焯水，保障成熟度一致

在焯水过程中，要充分考虑不同食材成熟度的差异，木耳、胡萝卜、青椒需要的焯水时间不同，可分段焯水，先焯胡萝卜丝1～2分钟，再下入木耳丝焯30秒～1分钟，最后下青椒丝焯10～20秒。确保炒制时同步熟透。

2. 切配讲究粗细与色彩

胡萝卜的橙红色、木耳的黑色和青椒的翠绿色形成鲜明且和谐的色彩搭配。在切配食材时，要保证三种食材切丝的粗细均匀。摆盘或炒制过程中也要注意混合均匀，让菜品在色泽上更加美观。

3. 明油亮芡提升颜值

出锅前淋入少量明油，不仅增强菜肴光泽，还能提升香气，保留食材的鲜嫩口感。

3.3.6 蒜蓉菠菜

一、食材和调料

菠菜：根据食用人数准备适量菠菜，一般每人100～150克。选择叶片翠绿、无黄叶、无病虫害的新鲜菠菜。

大蒜：准备5～6瓣大蒜，挑选蒜瓣饱满、无发芽和腐烂的大蒜，其辛辣味能为菜肴增添浓郁蒜香。

调料：盐、味精、鸡精、色拉油等。

二、制作过程

1. 预处理食材

切成段的菠菜

将大蒜去皮，用刀切成蒜末，尽量切得细碎些，这样蒜香在炒制时能更充分释放。切好后放置一旁备用。

把菠菜去除根部，掰下每一片叶子，放入清水中仔细清洗，去除叶片上的泥沙和杂质。洗净后将菠菜放在砧板上，切成5～6厘米长的段，放置在干净的容器中备用。

2. 焯水去草酸

在炒锅中加入足量清水，置于炉灶上开大火烧水。水即将烧开时，倒入适量色拉油，约5～10毫升，再加入3～5克盐。加油和盐能让菠菜在焯水过程中保持翠绿的色泽，且能初步入味。

待水完全沸腾后，将切好的菠菜段放入锅中。菠菜入锅后会迅速变软，用筷子或铲子轻轻翻动，使菠菜受热均匀。由于菠菜很容易熟，焯水时间控制在30～40秒即可，当菠菜颜色变得更加翠绿且稍微变软时，立即用漏勺将其捞出。

捞出的菠菜放入准备好的冷水中浸泡，这能使菠菜快速降温，锁住其鲜嫩口感，防止余热让菠菜继续变软。浸泡1～2分钟后，将菠菜从冷水中捞出，放在干净的厨房纸巾或滤网上，充分控干水分，尽量挤出菠菜中的多余水分，以免炒制时出水过多影响口感。

焯菠菜的水中加入适量的油、盐

菠菜颜色变得更加翠绿且稍微变软时就焯好了

3. 蒜末爆香

蒜末爆香

将炒锅清洗干净，再次置于炉灶上，开小火，倒入适量油，约20～30毫升。待油温热后，放入切好的蒜末，用铲子不停翻炒，蒜会逐渐散发出浓郁的香味，这个过程大约需要1～2分钟，要注意观察蒜的颜色，避免炒焦。

4. 合炒调味

蒜末香味浓郁后，立即将焯好水并充分控干水分的菠菜段倒入锅中。迅速开大火，用铲子快速翻炒，让菠菜与蒜末充分混合，均匀受热。翻炒1～2分钟后，加入适量盐、鸡精和味精进行调味。用勺子将盐、鸡精和味精均匀地撒在菠菜上，然后继续快速翻炒，让调料充分溶解并与菠菜混合均匀。调味过程中可根据个人口味适当调整调料的用量。

倒入菠菜

大火爆炒

5. 出锅装盘

调料翻炒均匀后，迅速关火，将炒制好的蒜蓉菠菜出锅装盘，一道美味的蒜蓉菠菜就制作完成了。

三、技术要点

1. 焯水去草酸

菠菜中含有草酸，草酸不仅会使菠菜带有涩味，还会影响人体对钙等矿物质的吸收。焯水能有效去除菠菜中的大部分草酸，减轻涩感。焯水30秒以上可有效去除70%以上的草酸。焯水时要注意水要足量，且在水沸腾后再放入菠菜，控制好焯水时间，既能去除草酸，又能最大程度保留菠菜的营养和鲜嫩口感。

2. 短炒保营养

菠菜经过焯水已经初步成熟，且其本身质地鲜嫩，富含多种维生素和矿物质等营养元素。在炒制过程中，若炒制时间过长，会导致营养元素大量流失，菠菜也会变得软烂，失去鲜嫩口感。所以在炒制时，要迅速开大火，快速翻炒，让菠菜在短时间内均匀受热并与调料充分混合，以最大程度保留菠菜的营养成分和鲜嫩质地。

3. 爆香蒜末要控制好火候

蒜末炒至微黄为佳，火力过大易焦苦，影响菜肴风味。

4. 趁热食用最佳

菠菜放凉后易出水影响口感，建议趁热食用。

3.3.7 酸辣土豆丝

一、食材和调料

土豆：新鲜无芽眼土豆2个（约300克），洗净去皮后切成细丝。

青红椒：各1个，去籽后切丝，用于增色提香。

大葱：1根，切葱丝备用。

调料：白醋、陈醋各适量（每种10～15毫升）、花椒5～10粒、干辣椒3～5

个、白糖5～8克、盐3～5克、鸡精2～3克、味精2～3克、淀粉1汤匙、色拉油30～50毫升。

二、制作过程

1. 预处理食材

土豆削皮切丝，放入清水中漂洗1～2次，去除表面杂质。

准备一碗清水，向水中倒入10～15毫升白醋，搅拌均匀。将切好的土豆丝放入醋水中浸泡5～10分钟，这样可以避免土豆丝在空气中氧化变黑。浸泡后，将土豆丝捞出，用清水冲洗几次，把土豆丝表面的淀粉洗去，沥干水分备用。

青红椒洗净切丝，大葱切细丝备用。

土豆切丝

浸泡土豆丝避免氧化变黑

2. 焯水

烧一锅开水，将土豆丝放入锅中焯水1～2分钟，至土豆丝稍微变软，捞出沥干水分备用。

土豆丝焯水

3. 炸花椒油

在炒锅中倒入30～50毫升色拉油，开小火，待油温达到三成热时（将筷子插入油中，周围出现少量均匀的小气泡），放入5～10粒花椒，慢慢炸制，待闻到浓郁的花椒香味时（注意不要把花椒炸煳，炸煳的花椒会产生苦味），立即关火，用漏勺将花椒捞出不用。

4. 爆香配料

再次开火，将油温升高至七成热（油面开始微微冒烟），放入3～5个干辣椒和切好的葱丝。迅速翻炒几下，爆香干辣椒和葱丝，使其香味充分释放出来。

炸花椒油

爆香干辣椒和葱丝

5. 合炒调味

将焯水后的土豆丝和切好的青红椒丝倒入锅中，与爆香的干辣椒和葱丝一起煸炒。用铲子不断翻炒，使土豆丝均匀受热。炒制2～3分钟，至土豆丝熟透但仍保持一定的脆度。

依次向锅中加入10～15毫升陈醋、5～8克糖和3～5克盐，大火翻炒半分钟，让调料充分融入土豆丝中。

合炒土豆丝和青红椒丝

加入调料调味

然后将10～15克淀粉加入适量水中，搅拌均匀制成水淀粉，倒入锅中，快速翻炒均匀，使汤汁浓稠，包裹在土豆丝和青椒丝上。翻炒均匀后，根据个人口味可加入2～3克味精和2～3克鸡精，搅拌均匀，即可出锅装盘。

三、技术要点

1. 防止土豆丝变黑

土豆丝放进醋水中浸泡并反复冲洗多次，这是保证土豆丝口感清脆和色泽鲜亮的关键步骤。白醋通过创造酸性环境，极大地降低了土豆中多酚氧化酶的活性，从而有效防止土豆丝氧化变黑；冲洗能去除土豆丝表面的淀粉，减少淀粉在炒制过程中糊化的可能性，从而使土豆丝口感更加清脆。

2. 火候控制得当

炸花椒油时要保持小火，避免花椒炸煳，以充分激发花椒的香味；爆香干辣椒和葱丝时要将油温升高至七成热，迅速爆香，激发其香味。炒制土豆丝时，先用大火快速翻炒，使土豆丝均匀受热，然后根据情况适当调整火候，确保土豆丝熟透且保持脆度。

3. 调味讲究平衡

成品应达到“酸而不涩、辣而不燥”的效果，可根据个人口味灵活调整陈醋和干辣椒的用量。

4. 出锅前勾芡提亮

水淀粉能使汤汁浓稠、包裹食材，提升菜肴光泽度与口感层次。

3.4 特殊食材烹饪安全

1. 四季豆

食用未烧熟煮透的四季豆可能会引起食物中毒。这是因为四季豆中含有的皂苷和植物凝集素是天然毒素，对人体消化系统具有刺激作用。若四季豆未烧熟煮透即食用，可能导致恶心、呕吐、腹痛、腹泻等急性胃肠炎症状。

为了预防食物中毒，烹饪四季豆前，应充分浸泡并清洗；烹饪时应烧熟煮透，加热至四季豆颜色由鲜绿色变为深绿或暗绿色，质地变软，无豆腥味或苦硬感；建议采用炖、煮等方式烹饪四季豆，避免急火快炒。

2. 鲜黄花菜

鲜黄花菜中含有秋水仙碱，这种物质进入人体经代谢氧化后，会生成毒性较大的二秋水仙碱，它对人体胃肠道和泌尿系统有强烈刺激作用。成年人一次食用50～100克鲜黄花菜即可引起中毒，出现恶心、呕吐、口干、腹泻、头晕等症状，严重者可能影响肝肾功能。因此，不建议直接食用新鲜黄花菜；推荐食用干制黄花菜，其加工过程可有效降低秋水仙碱含量；若需食用鲜品，应先用沸水焯烫，并反复用清水浸泡数小时后再烹调。

3. 发芽或变绿的马铃薯

发芽或表皮变绿的马铃薯含有较高浓度的龙葵素，这是一种有毒的糖苷生物碱，对胃肠道黏膜有强烈的刺激性和腐蚀性，并能抑制中枢神经系统。其中毒症状表现为：咽喉灼热、恶心呕吐、腹痛腹泻等，严重者可能出现头痛、眩晕、肌肉抽搐、意识障碍，甚至呼吸衰竭。因此，我们应避免食用已发芽、变绿或腐烂的马铃薯。储存马铃薯时，应将其放置在阴凉、干燥、避光处，防止其发芽。烹饪马铃薯类菜品前，应仔细检查马铃薯的外观，发现异常应弃用。

第 4 章

肉类的加工知识

4.1 肉类的营养价值

肉类是人类膳食中重要的营养来源之一，富含优质蛋白质、脂肪、B族维生素等多种营养素。适量摄入肉类，有助于维持我们的身体健康。

肉中的脂肪不仅是能量的重要来源，还参与机体组织构建、提供必需脂肪酸，并有助于脂溶性维生素（如维生素A、D、E、K）的吸收。

4.2 肉类食材鉴别

4.2.1 按颜色分类

肉类品种有很多，按照颜色大致可以分为以下类别：

红肉：通常指哺乳动物的肌肉（瘦肉部分），其特点为生肉呈现红色，烹饪后变为褐色或灰色，如牛肉、羊肉、猪肉等，红肉富含铁、锌、维生素B6和维生素B12，有助于补血、增强免疫力。

白肉：主要指禽类的胸肉和翅膀等部位的肉，其特点为生肉颜色较浅，烹饪后通常保持白色，如鸡肉、鱼肉、鸭肉、鹅肉等，其脂肪含量较低，蛋白质含量较高。

红肉、白肉在蛋白质含量、脂肪含量、维生素和矿物质含量等方面的特点如表4-1所示。

表 4-1　红肉、白肉在蛋白质含量、脂肪含量、维生素和矿物质含量等方面的特点

蛋白质含量	白肉 > 红肉 白肉：是优质蛋白质的良好来源，鸡胸肉等部位的蛋白质含量约为 20%。 红肉：同样富含高质量蛋白质，但脂肪含量通常较高，尤其是饱和脂肪酸的比例较大。
脂肪含量	红肉 > 白肉 红肉中脂肪含量较高，可能达到 20% ～ 30%，其中饱和脂肪酸比例较高。 白肉的油脂少，常出现在皮下，去皮后白肉的脂肪含量相对较低，约为 2% ～ 10%，主要为单不饱和脂肪酸和多不饱和脂肪酸。
维生素 B6、B12 含量	白肉 > 红肉 维生素 B6 可以增强免疫力，维生素 B12 则和造血、脑部神经健康有关。适时补充维生素 B6、B12 可以帮助补血、促进脑部发育及提升抵抗力。 白肉：禽类中维生素 B6 含量适中，鸡肉每 100 克约含 0.5 毫克。禽类也提供维生素 B12，但含量不如水产品高。 红肉：牛肉每 100 克大约含有 0.4 毫克的维生素 B6 和约 2.5 微克的维生素 B12。

续表

矿物质含量	红肉 > 白肉 红肉含有丰富的铁，尤其是血红素铁，容易被人体吸收；同时含有锌、磷等多种矿物质。 白肉含有适量的铁、锌等矿物质，但血红素铁含量低于红肉。

红肉和白肉怎么吃更健康？

1. 多样化选择

红肉、白肉各有优缺点，在日常饮食中我们应尽量保证饮食多样化。白肉和红肉都要吃，这样可以获得更全面的营养。对于想要减少饱和脂肪摄入，或降低心血管疾病风险的人群，可以适当减少红肉的摄入，饮食中增加白肉和植物蛋白的比例。

2. 控制分量

每餐的肉类摄入量应控制在合理范围内，成人每日推荐摄入量为：瘦肉（包括禽类、畜类）约80～100克，鱼类约100～150克。

3. 注意烹饪方式

蒸、煮是比较健康的烹饪方法，应尽量避免烤或油炸，以减少额外脂肪摄入。

白肉：去皮后食用可减少脂肪摄入，炖煮比油炸或烤制更健康。

红肉：尽量选择瘦肉部分，采用低温慢煮或炖的方式可以减少有害物质生成，避免高温煎炸。

4. 搭配蔬菜水果和全谷物

在进食肉类的同时搭配新鲜蔬菜水果和全谷物，有助于补充膳食纤维、维生素C和其他抗氧化剂，促进消化吸收并降低患慢性疾病的风险。

5. 限制加工肉类

减少香肠、培根等加工肉类的摄入，因为这些食品往往含有较高的盐分和防腐剂，长期大量食用可能增加患心血管疾病的风险。

4.2.2 按部位和用途分类

以猪肉为例，按照部位和用途可以进一步细分为梅花肉、里脊肉、五花肉、前排肉、猪颈肉、猪脸肉、猪颊肉、前腿肉、后腿肉、肘子、猪蹄等，这些部位的肉质和脂肪含量各有不同，适合制作不同的美食。

里脊肉：里脊肉是一种瘦肉，脂肪较少且没有筋骨，肉质鲜嫩，口感好，适合切片、蒸、煮、涮、炒、炸等。

五花肉：位于猪的腹部，是猪身上脂肪含量最高的部位的肉，它的肥肉容易溶化且瘦肉鲜嫩，适合做红烧肉、炖肉、卤肉、馅料、蒸肉等。

臀尖肉：前臀尖是紧挨猪前腿向上一点儿的部位，肉质稍嫩，适合炸、熘、炒；后臀尖是腿上臀后的部位，肉稍硬，纤维稍粗，适合卤肉、回锅肉等。

猪腿肉：前腿肉瘦肉较少，胶质、筋比较多，适合炖、卤、红烧等；后腿肉口感中等，瘦肉比前腿肉多，适用于炖、卤、腌等。

4.2.3 肉类食材如何挑选

1. 看色泽

新鲜肉：颜色鲜艳有光泽，红色均匀，脂肪洁白或乳白；

不新鲜肉：色泽暗淡无光，脂肪呈灰绿色或黄绿色。

2. 看黏度

新鲜肉：表面干燥或略带湿润，但不粘手；

不新鲜肉：表面潮湿甚至发黏，触感滑腻，易粘手。

3. 看弹性

新鲜肉：指压后凹陷迅速回弹；

不新鲜肉：指压后凹陷恢复缓慢或无法恢复，留下明显痕迹。

4. 闻气味

新鲜肉：略带血腥味或轻微腥气，无明显异味；

不新鲜肉：出现酸味、氨味、腐败臭味等异常气味。

4.3 肉类制作去腥增香的方法

1. 去腥要点

化冻：推荐冷藏缓慢解冻；若需快速解冻，可用冷水浸泡并隔10～15分钟换水一次。

去血水：冷水浸泡1～2小时，换水2～3次；或冷水下锅煮沸后撇沫。

焯水：腥味重（如猪蹄、牛腩）的肉，冷水下锅，加姜片、料酒；腥味轻（如鸡胸肉）的肉，热水快速焯烫。

调味选择：腥味重的肉类可选用麻辣、五香等重口味掩盖；腥味轻的肉类适合清淡的做法，突出本味。

2. 保持肉质嫩滑的要点

刀工处理：嫩肉顺肌纤维切；老肉逆肌纤维切，破坏筋膜提高嫩度。

上浆腌制：使用淀粉、蛋清、料酒等进行上浆，锁住水分；提前腌制15～30分钟，让肉更入味。

刀背敲打：采取“刀背敲肉法”粗加工，使肉类组织部分筋膜断裂，成品更容易酥糯。

火候控制：先大火烧开，撇净浮沫；再转中小火慢炖，忌全程大火以免肉质变硬。

4.4 几种肉类菜品的做法

4.4.1 青椒肉丝

一、食材和调料

猪里脊：300～400克，选色泽红润、肉质紧实、无异味的猪里脊肉。

青椒：1～2个，选表皮光滑、无斑点、质地硬挺的，约100～150克。

红椒：1个，色泽鲜艳，用于配色，约100～150克。

葱：葱白部分约5～6厘米，用于提香。

姜：10～15克，用于去腥。

鸡蛋：1个，取蛋清，用于上浆。

调料：干淀粉、色拉油、盐、白糖、料酒、味精等。

二、制作流程

1. 预处理食材

将猪里脊肉洗净，放在砧板上，顺着肉的纹理切成细丝。切好的肉丝放入清水中浸泡15～20分钟，以去除肉丝中的血水，达到去腥味的目的。

将红椒和青椒洗净，去籽去蒂，切成细丝。切好的青红椒丝长度和粗细尽量与肉丝一致，放置在一旁备用。

2. 腌制上浆

把葱和姜切成小块，放入碗中，加入适量清水，用手挤压出葱姜汁。将浸泡好的肉丝捞出，挤干水分，放入碗中，加入适量盐（约2～3克）和葱姜汁，用手抓拌均匀，使肉丝充分吸收葱姜汁的味道，起到去腥入味的作用。

在碗中打入1个鸡蛋，分离出蛋清，将蛋清倒入装有肉丝的碗中，用手抓拌均匀，使蛋清均匀包裹在肉丝表面。然后在肉丝表面倒入一层凉油（约10～15毫升），轻轻搅拌，使凉油均匀覆盖在肉丝表面，起到防干的作用。将肉丝静置15～20分钟，使其充分吸收调料的味道。

3. 滑油处理

在炒锅中倒入适量色拉油（300～400毫升），开中火加热。当油温达到五成热（约150℃，可通过观察油面，微微冒烟，或放入一小根姜丝，周围有少量气泡冒出，即为五成热）时，将上浆后的肉丝倒入锅中。用锅铲轻轻推划肉丝，使其受热均匀，根根分明，避免肉丝相互粘连。滑油时间约1～2分钟，当肉丝变色且刚刚熟透时，用漏勺将肉丝捞出，放入半成品容器中备用。

将切好的青红椒丝倒入油锅中，轻轻烫一下，时间约10～20秒，至青红椒丝稍微变软，颜色更加鲜艳时，用漏勺捞出，放入漏勺中控油。

肉丝预处理后需要腌制上浆

肉丝滑油

4. 合炒调味

将炒锅清洗干净，重新置于炉灶上，开小火，倒入少许色拉油（10～15毫升）。待油温热后，将滑油后的肉丝和青红椒丝倒入锅中，开大火迅速翻炒均匀。加入适量盐（2～3克）、白糖（5～10克）和味精（2～3克）进行调味，继续翻炒，使调料充分溶解并均匀分布在食材中。

5. 勾芡提亮

在碗中加入适量淀粉（约10～15克），倒入少许清水，搅拌均匀，制成淀粉水。将淀粉水缓慢倒入锅中，边倒边用锅铲翻炒，使汤汁浓稠，均匀包裹在肉丝和青红椒丝上。

最后，沿着锅边淋入少许油（5～10毫升），翻炒均匀，使菜肴更加油亮有光泽，即可出锅装盘。

合炒调味

勾芡

三、技术要点

1. 切肉技巧

猪里脊肉质地较嫩，切丝时要注意保持粗细均匀。建议顺着纹理切丝，这样切出的肉丝不易碎，在炒制过程中能保持完整的形状。逆着纹理切肉丝容易断裂，影响菜肴的口感和外观。

2. 上浆封油

上浆后的肉丝需封油。封油可以在肉丝表面形成一层保护膜，防止表面风干，同时也能使肉丝在滑油时不易脱浆。封油时要注意油的用量，以刚好覆盖肉丝表面为宜，过多会使肉丝过于油腻，过少则达不到防干的效果。

3. 滑油火候

滑油时要严格控制好油温（控制在五成热左右），油温过高容易导致肉丝表面迅速焦煳，内部却未熟透；油温过低则会使肉丝脱浆，粘连在一起。滑油过程中，要不断用锅铲推划肉丝，确保其受热均匀。

4. 大火快炒

合炒肉丝和青红椒丝时，全程采用大火快炒，控制在3～4分钟完成，以保持肉丝滑嫩、青椒爽脆。

4.4.2 香酥脆皮肉

一、食材和调料

猪里脊：挑选色泽红润、肉质紧实、无异味的猪里脊肉500～600克，其肉质鲜嫩，适合炸制。

葱：取1段5～6厘米长的大葱葱白，要粗壮、质地鲜嫩的，用于制作葱汁。

姜：准备10～15克表皮光滑、质地坚硬的生姜，用于制作姜汁去腥。

蒜：2～3瓣蒜瓣饱满、无发芽腐烂的大蒜，增添菜肴香味。

面粉、淀粉、泡打粉：150克低筋粉、100克淀粉、1克泡打粉，用于制作脆皮糊。

调料：料酒、大豆油、胡椒粉、盐、椒盐粉等。

二、制作流程

1. 调制脆皮糊

在大碗中依次放入150克低筋粉、30克淀粉、8克大豆油、3克盐、1克泡打粉和230毫升凉白开，用筷子或打蛋器朝一个方向搅拌，直至面糊呈流水状且无明显颗粒，裹肉丝用的脆皮糊就做好了。

将调好的脆皮糊静置10～15分钟，让各种成分充分融合。

2. 预处理肉段

肉段要提前腌制

将猪里脊肉洗净后放在砧板上，切成3～4厘米长、大小均匀的段。把肉段放入清水中浸泡15～20分钟，去除血水。捞出肉段，用厨房纸巾或布吸干水分，放入碗中。加入3～5克盐、3～5克胡椒粉和葱段、姜片，用手抓拌均匀，腌制15～20分钟。

3. 挂糊

初裹干粉：将腌制好的肉段先裹上一薄层干淀粉，形成隔离层；

湿糊包裹：将裹好干粉的肉段浸入调好的脆皮糊中，用“抓捏—提起”的手法使糊均匀附着在肉段上；

二次补糊：取出裹好脆皮糊的肉段，撒少许干淀粉补缝，防止炸制时脱糊。

4. 炸制

第一次炸制：锅中倒油加热至五成热（约150℃，油面微微冒烟，放入姜丝有少量气泡冒出）时，将挂好糊的肉段逐一放入锅中，保持中火，炸3～5分钟，使肉段初步定型并成熟。当肉段表面变为浅黄色时，用漏勺捞出放入半成品容器中。

第二次炸制：将油温升至七成热（约180℃，油面明显冒烟，放入姜丝有大量气泡迅速冒出），把第一次炸好的肉段再次放入油锅，复炸1～2分钟，使肉段表面金黄酥脆。炸制时用长木筷轻轻翻动，确保受热均匀。

用漏勺捞出炸好的肉段，沥干油后放入盘中，均匀撒上适量椒盐粉，即可趁热享用这道外焦里嫩的脆皮炸猪里脊。

湿糊包裹肉段

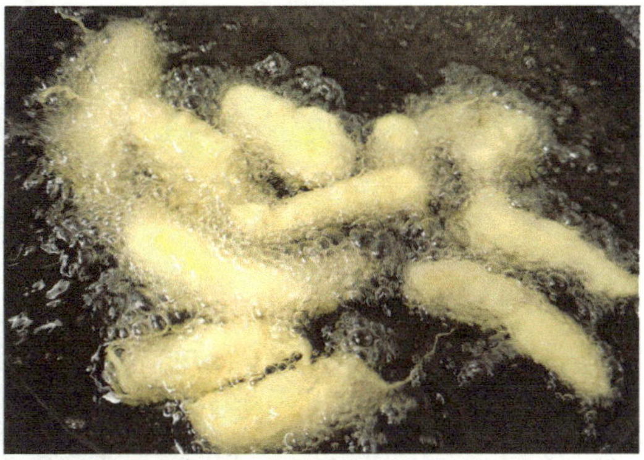

肉段成型、表面变为浅黄色就炸好了

三、技术要点

1. 大小一致

切割肉段时尽量保证大小一致，这样在炸制过程中能同时成熟，避免出现部分肉段过熟或未熟的情况。

2. 流动性好

调制脆皮糊时，低筋面粉、淀粉、泡打粉等比例要准确，搅拌要充分，确保搅拌至流水状且无颗粒。静置后的脆皮糊能让成分更好融合，炸出的脆皮更蓬松、酥脆。

3. 复炸一遍

复炸是让肉段更酥脆的关键。第一次炸制定型成熟，第二次高温炸制使外皮脱水变脆。复炸时要严格控制油温，油温过高易焦煳，过低则达不到酥脆效果。

4. 控制好油温和火候

炸制过程中，准确控制油温至关重要。五成热适合肉段初步炸制定型，七成热用于复炸增脆。可通过观察油面状态或使用油温计来确保油温合适。

5. 出锅撒椒盐粉

椒盐粉应在刚出锅时撒入，增强风味。

4.4.3　土家红烧肉

一、食材和调料

五花肉：选择色泽红润、肉质紧实、肥瘦比例适中的五花肉，约500～600克，五花肉肥瘦相间，是制作红烧肉的理想食材。

葱：准备1段大葱，约5～6厘米长，用于切末和增添香味。选择葱白部分较为粗壮、质地鲜嫩的大葱。

姜：准备约15～20克生姜，用于切片和去腥。选择表皮光滑、质地坚硬的生姜。

干辣椒：准备3～5个干辣椒，增添菜肴的辣味和香气，可根据个人口味调整用量。

其他调料：黄豆酱、桂皮、冰糖、盐、味精、老抽、料酒、八角、南乳汁、色拉油等。

二、制作流程

1. 预处理食材

将五花肉表面的毛去除干净，用刀刮净表皮的杂质，然后用清水冲洗干净。把洗净的五花肉放在砧板上，切成大小均匀的方块，每块边长约2～3厘米。

将大葱切成葱末，生姜切成薄片，分别放置在一旁备用。

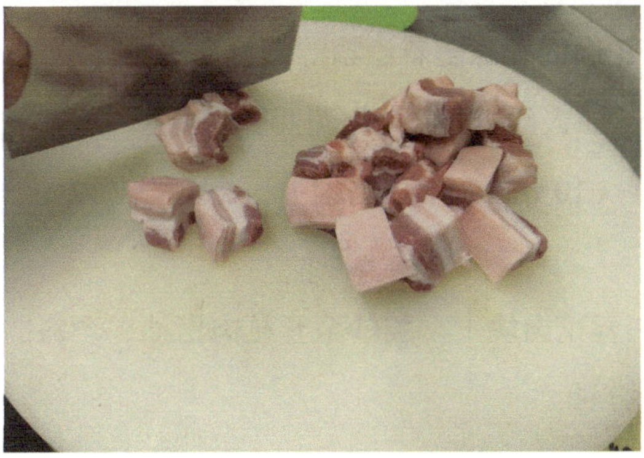

五花肉切成方块

准备好的主料、配料和调料

2. 焯水

锅中加入适量清水，放入切好的五花肉块，加入葱、姜、料酒去腥，开大火将水烧开。

水开后，继续煮2～3分钟，撇去水面上的浮沫和杂质。

捞出五花肉块，用清水冲洗干净，沥干水分备用。

焯水时加入葱、姜、料酒去腥

水开后，撇去浮沫和杂质

3. 煸炒出油

把炒锅置于炉灶上，开小火，倒入约20～30毫升色拉油。待油温热后，放入切好的姜片，用锅铲翻炒，直至姜片散发出浓郁的香味。

冲洗干净的五花肉放在漏勺中沥水

姜片煸香后，将焯好水并沥干水分的五花肉块倒入锅中，用锅铲不断翻炒，使五花肉块均匀受热。翻炒过程中，淋入约15～20毫升料酒，料酒可以去腥增香，让五花肉的腥味随着酒精的挥发而去除。

五花肉煸炒至表面微微金黄时，转中火，加入约20～30克黄豆酱、3～5个干辣椒、适量蒜末（蒜的用量可根据个人口味调整）、10～15毫升老抽、1～2块桂皮、2～3个八角和15～20毫升南乳汁。

继续用锅铲翻炒，使各种调料均匀地裹在五花肉块上，翻炒至五花肉出油、调料的香味充分散发出来，这个过程大约需要3～5分钟。

煸炒后加调料调味

加开水，水量要没过肉块

4. 炖煮收汁

五花肉翻炒出香味后，加入足量的开水，水量要没过五花肉块。开大火将水烧开，然后转小火，盖上锅盖，慢炖约40～60分钟。在炖煮过程中，要不时地揭开锅盖，用锅铲翻动五花肉块，确保其受热均匀，防止粘锅。当汤汁炖至微黏稠状态时，加入20～30克冰糖、适量盐（根据个人口味添加，一般2～3克）和2～3克味精（可根据个人口味决定是否添加）。继续用小火慢炖，让冰糖充分溶化，汤汁逐渐浓稠。

随着炖煮的进行，汤汁会越来越浓稠，当汤汁收紧，能够均匀地裹在五花肉块上时，即可关火。最后，将炖好的红烧肉盛出，撒上切好的葱末，一道色香味俱全的红烧肉就制作完成了。

三、技术要点

1. 焯水必须冷水下锅

五花肉洗净后焯水是去除腥味和杂质的重要步骤。焯水时要冷水下锅，让五花肉随着水温的升高逐渐释放出内部的血水和杂质，这样能更有效地去腥。焯水时间不宜过长，水开后2～3分钟即可，以免肉质变老。

2. 煸炒五花肉时要注意火候

煸炒五花肉一开始要用小火（120℃～140℃）煸炒8～10分钟，当五花肉表面微微金黄时转中火（160℃～180℃）继续煸炒3～5分钟。

3. 小火慢炖

小火慢炖是使红烧肉更加入味、绵软的关键。小火慢炖能让五花肉充分吸收调料的味道，同时使肉质逐渐变得软烂。炖煮时间要根据五花肉的大小和质地适当调整，一般以40～60分钟为宜。在炖煮过程中，要注意观察汤汁的量和五花肉的状态，适时调整火候和时间。

4. 冰糖提亮

调味时要根据个人口味适当调整调料的用量，冰糖的加入不仅能提鲜，还能使红烧肉的色泽更加红亮。

5. 收汁时掌握火候

收汁时要掌握好火候和时间，汤汁收得太干，红烧肉会失去湿润的口感；汤汁收得不够，味道则不够浓郁。当汤汁浓稠，能够均匀地裹在五花肉块上时，即为合适的收汁程度。

4.4.4 回锅肉

一、食材和调料

五花肉：准备400～500克五花肉，挑选肥瘦相间、层次分明的三层五花肉，其肉质鲜嫩多汁，色泽红润有光泽，按压有弹性。

青蒜：150～200克，选择植株完整、茎叶翠绿、茎部鲜嫩无发黄枯萎的青蒜，以保证其独特的辛辣香气与脆嫩口感。

调料：豆瓣酱20克、老抽10毫升、生抽5毫升、白糖5克、料酒10毫升、葱、姜、蒜适量、色拉油、盐、味精、明油（可选）等。

二、制作流程

1. 预处理食材

五花肉洗净后冷水下锅，大火烧开撇净浮沫，焯水2～3分钟；捞出冲净，放入蒸碗中，加葱段、姜片、料酒，上蒸锅或蒸箱蒸20～30分钟至熟透（以筷子能轻松插入五花肉为宜）。

把葱切成末，姜切成片，青蒜切成斜段，分别放置一旁备用。

将蒸熟的五花肉取出，待其冷却后，用刀切成3～5毫米厚的薄片，切的时候尽量保证每片肉厚度均匀。

切好的五花肉和青蒜

2. 煸炒调味

起锅倒入少许色拉油，待油温热后，放入姜片煸炒出香味。接着放入切好的五花肉片，用铲子不断煸炒，让五花肉片在锅中均匀受热。

煸炒五花肉

加入豆瓣酱，炒出红油，再加入白糖、蒜、老抽继续煸炒，煸炒过程中要注意火候，以中火为宜，直至五花肉出油，表面微微卷曲。

先放入青蒜茎部，再放入青蒜叶，快速翻炒至断生。

最后调入适量盐、味精，淋少许明油增香，翻炒均匀后即可出锅装盘。

加入豆瓣酱等调料

加入青蒜炒至断生

三、技术要点

1. 蒸制去腥增香

蒸制是回锅肉制作的关键初加工步骤。通过蒸制，五花肉肉质变得紧实，在后续煸炒时不易破碎，能保持完整的形状。同时，蒸制有助于去除部分油脂，使五花肉口感肥而不腻。蒸制时间要依据五花肉的大小、厚度合理调整，确保熟透且肉质达到理想状态。

2. 切片厚薄适中

肉片切得不宜过厚，过厚的肉片在煸炒时难以充分受热，不易煸炒出香味和多余油脂，且口感会过于油腻。硬币厚度（3～5毫米）的肉片在炒制过程中能更好地与调料融合，均匀受热，更好地达到外焦里嫩的效果。

3. 合理调控火候

煸炒过程中，需灵活调整火候，先中火煸炒使肉片初步定型，再适当调大火力，逼出肉片油脂，同时密切观察肉片状态，当肉片表面金黄微焦、卷曲且出油量适中时，可达到最佳口感。

4. 青蒜最后加入，淋油提升质感

青蒜最后加入，炒到断生即可加入盐等调料调味，避免久炒失去脆嫩和辛辣香气。出锅前淋入明油，可增强菜品的光泽与香气。

4.4.5　汆丸子

一、食材和调料

精瘦肉：准备200～300克精瘦肉，如猪里脊肉或牛里脊肉。精瘦肉是制作丸子的主要原料，肉质鲜嫩，脂肪含量低。

鸡蛋：1个，取蛋清制作丸子馅，蛋清能增加丸子的黏合性和嫩滑度。

娃娃菜：1颗，切段备用。娃娃菜口感清甜，营养丰富，可为汤品增添清爽的口感。

莴笋：准备100～150克莴笋，将其切成片。莴笋质地脆嫩，富含维生素和膳食纤维，能为汤品增加口感的层次。

凉白开：适量凉白开，用于调制丸子馅，使肉馅更加水润，一般用量约50～100毫升，可根据肉馅的干湿程度适当调整。

葱姜：葱1根，姜1块。葱切成葱花，姜切成姜末，用于调味和去腥。

调料：盐3～5克、味精2～3克、香油3～5毫升、玉米淀粉或马铃薯淀粉10～15克。

二、制作流程

1. 处理食材

将娃娃菜切成长3～4厘米的段，将莴笋去皮洗净切成薄片，全部放置一旁备用。

将瘦肉洗净，切成小块，然后用刀剁或用绞肉机绞成肉馅，尽量剁或绞成泥状，放置在盆中待用。

2. 调味搅拌

在装有肉馅的盆中，加入鸡蛋清和50～100毫升凉白开。顺着一个方向用筷子或手用力搅动，使肉馅充分吸收水分和蛋清，至肉馅有黏性。

切成段的娃娃菜

肉馅中加入适量水

接着加入切好的葱姜末、3～5克盐、2～3克味精（可根据个人口味添加）、5～10毫升香油和由10～15克淀粉调制的水淀粉，继续搅拌，使调料充分融入肉馅中，至肉馅起胶（即“上劲”），手感有弹性为止。

3. 氽丸子

在锅中加入足量的水，开大火将水烧开。水开后，将火调小，保持水微微沸腾的状态。将搅拌好的肉馅用手挤成直径约1.5厘米的小丸子逐个下锅。

注意：不要等水开得太剧烈时下锅，水温80℃时下锅，可以更好地去除丸子的腥味。

4. 去浮沫、捞出

丸子下锅后，会有一些浮沫产生，用勺子及时撇去浮沫。煮3～5分钟，至丸子熟透，颜色变浅，体积略有膨胀。将煮熟的丸子捞出，放入盆内，浇上一些煮丸子的原汤，防止丸子变干。

用手挤丸子

撇去浮沫

5. 组合装盘

另起一锅水烧开，放入切好的娃娃菜段和莴笋片，烫1～2分钟，至蔬菜断生，颜色变得更加鲜艳。用漏勺将烫好的蔬菜捞出。

焯烫娃娃菜和莴笋

食用时，将烫好的蔬菜盛入碗底，然后将小丸子放在蔬菜上面，浇上适量的煮丸子的原汤，一道美味的丸子蔬菜汤就制作完成了。

蔬菜铺底

摆盘盛出

三、技术要点

1. 选材讲究

氽丸子最好选用精瘦肉做原料，精瘦肉的肉质鲜嫩，脂肪含量低，能使丸子口感更加紧实、鲜嫩，且不容易油腻。避免使用脂肪含量过高的肉，否则丸子在煮制过程中容易散开，影响口感和形状。

2. 绞剁成泥

丸子馅要剁或绞成泥状，这样制作出来的丸子才会光滑松嫩。如果肉馅颗粒较大，丸子在煮制过程中容易出现表面不光滑、内部有空隙等问题，影响口感。

3. 搅拌技巧

搅拌肉馅时要沿着一个方向搅拌，使肉馅上劲，增加黏性，便于成型。

4. 合理控温

丸子应在水烧开后转为小火、保持水面微沸（即冒小气泡）的状态下下锅，避免大火沸腾时下锅，否则丸子易散开。

5. 淀粉选择

推荐使用玉米淀粉或马铃薯淀粉，其黏性强，能使成品更光滑。

6. 香油适量

香油适量，提香即可，不宜过多以免掩盖鲜味。

4.4.6 糖醋里脊

一、食材和调料

猪里脊肉：300～400克。

鸡蛋：1个，取鸡蛋清用。

调料：盐3克，胡椒粉少许，料酒5毫升，葱姜汁适量，白糖30克，白醋20毫升，清水30毫升，生抽5毫升，番茄酱20克，面粉、玉米淀粉适量，香油适量。

二、制作过程

1. 预处理里脊肉

将里脊肉洗净，切成粗细均匀的长条状。

把切好的里脊肉放入碗中，加入盐、胡椒粉、料酒、葱姜汁等用手抓匀，腌制10～15分钟。静置后依次加入鸡蛋清、适量淀粉用手抓匀，让里脊充分吸收调料，放置一旁腌制待用。

最后在每根肉条表面裹上一层淀粉糊（或面粉糊与淀粉1∶1混合糊）。

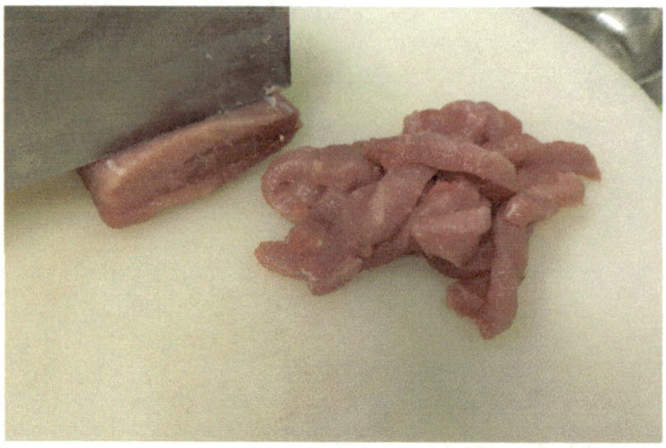

里脊肉切成均匀的长条

里脊肉中加入盐、胡椒粉、料酒、葱姜汁等

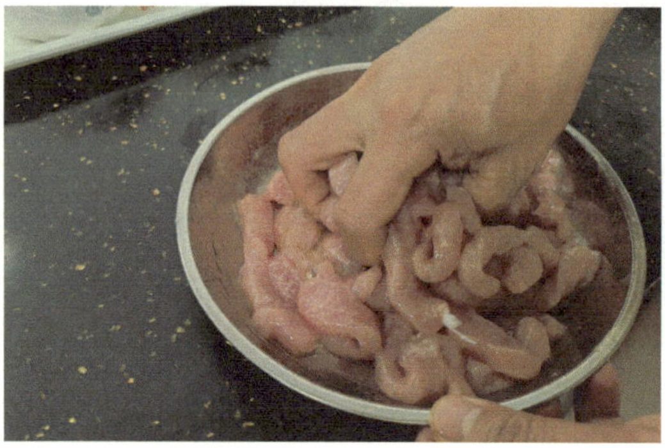

抓拌均匀

腌好的里脊肉裹糊

2. 第一次炸制定型

锅中倒入适量油，烧至五六成热（插入筷子，周围快速冒小泡）。把挂糊腌制好的里脊条逐条投入锅中炸制。炸至金黄色后捞出，控油备用。

炸制定型

3. 复炸增脆

开大火，将锅中的油温升至七八成热，然后将炸完第一遍的里脊条放入油锅中，复炸30～45秒至外壳金黄酥脆，捞出沥油。

4. 炒糖醋汁

锅中留底油，烧热后倒入番茄酱，煸炒出红油。接着倒入之前调好的糖醋汁（白糖、醋、水、盐、生抽的混合液），然后缓缓淋入水淀粉，边淋边搅拌，加热至汤汁浓稠起泡。

炒糖醋汁

5. 合炒装盘

倒入炸好的里脊条，翻炒均匀，使里脊条裹满糖醋汁。

待汤汁浓稠，均匀包裹在里脊条上时，关火，淋入少许香油，翻炒几下，即可出锅装盘。

炸好的里脊条倒入糖醋汁中合炒

炒好的糖醋里脊

三、技术要点

1. 腌制与上浆

提前腌制能让里脊入味提鲜，腌制时调料要抓匀，让里脊充分吸收料汁；蛋清与淀粉结合能锁住水分，上浆能使肉质保持嫩滑。

要掌握好淀粉用量和浓度，以能均匀锁住食材、包裹在里脊表面为目标，太稀挂不住，太稠则口感厚重，影响菜品风味。

2. 挂糊技巧

淀粉糊（或面粉糊与淀粉的混合糊）的浓稠度至关重要，以能均匀包裹肉条、缓慢流下为宜。太稀挂不住，炸制时易脱糊；太稠则外壳过硬，影响口感。

3. 油温控制

两次炸制是关键，第一次定型，油温五六成热；第二次增脆，油温要升至七八成热。

4. 糖醋汁浓度

提前调好糖醋汁，保证酸甜平衡；炒糖醋汁时，要掌控好浓稠度，其浓稠度以能挂在肉条上为准，避免过稀或过稠。

5. 香油使用时机

出锅前关火淋入少许香油，保留香气，防止高温破坏风味。

第5章

水产类的加工知识

5.1 水产品营养价值

水产品是一种高蛋白、低脂肪的健康食品，含有丰富的氨基酸，是优质蛋白质的良好来源。与猪肉等红肉类食品相比，大多数鱼类和虾类脂肪含量较低，且其脂肪以不饱和脂肪酸为主，有助于调节血脂，维持心脑血管健康。

水产品的主要营养成分有：

1. 蛋白质

水产品中含有丰富的优质蛋白质，其中以鱼类和贝类尤为突出。鱼肉肌纤维短、质地细嫩，易于消化吸收，蛋白质利用率可达85%以上。其所含的9种人体必需氨基酸（如异亮氨酸、亮氨酸、赖氨酸等）比例均衡，接近人体所需模式，属于优质完全蛋白，是理想的膳食蛋白来源。

2. 脂肪

水产品脂肪含量普遍较低，绝大多数种类脂肪含量低于5%，且脂肪中以不饱和脂肪酸为主。其中，ω-3系列脂肪酸（如DHA和EPA）对人体健康具有重要意义：DHA有助于大脑神经元发育及神经系统功能维护；EPA可调节血脂、抑制血小板聚集，对预防心脑血管疾病（如动脉粥样硬化、心肌梗死）具有积极作用。

3. 维生素

水产品是维生素A、维生素D以及B族维生素（如B12、B6）的重要膳食来源。例如，某些鱼类的肝脏富含维生素A和维生素D（传统上被用于提取鱼肝油），其中维生素A对维持视力、免疫功能和细胞代谢具有积极作用。

5.2 水产品的鉴别

5.2.1 水产品的分类

水产品有多种分类方法。

1. 按保存条件，水产品可分为：

鲜活水产品：指仍具有生命活动或接近活体状态的水产品，如游动的鱼类、能闭壳的贝类、跳跃的虾蟹等，通常未经低温或加工处理，保持最佳鲜度。

冷藏保鲜水产品：在0～4℃低温环境中短期保存（一般1～7天），抑制微生物生长，维持较好品质，常见于超市冷链销售。

冰冻水产品：经快速冷冻（速冻）至中心温度低于-18℃，使水分形成微小冰晶，减少组织损伤，可长期储存（数月以上）。

干制品：通过日晒、风干或烘干等方式脱去大部分水分制成，如鱼干、虾皮、墨鱼干等；部分结合盐腌或烟熏工艺，耐储存。

2. 按出产环境，水产品可分为：

海鲜产品（海水产品）：来自海洋生态系统，如海鱼、海虾、海蟹、贝类等。由于海水富含矿物质，此类产品通常含有较多的碘、硒、锌等微量元素。

淡水产品：产自河流、湖泊、池塘等淡水环境，如鲤鱼、草鱼、鲢鱼、罗非鱼、河蟹等。

3. 按生物种类形态，水产品可分为：

鱼类：脊椎动物，大多体表被鳞（部分无鳞），用鳃呼吸，靠鳍运动，是水产品中产量最大、消费最广的一类，如带鱼、鲈鱼、三文鱼等。

甲壳类：体外具几丁质外壳，身体分节，附肢分叉，主要包括虾类和蟹类。虾类：体型细长，腹部发达，如对虾、基围虾、龙虾等。蟹类：头胸部宽大，具一对螯足，多数横行，如梭子蟹、大闸蟹、帝王蟹等。

贝类：软体动物，多数具钙质外壳，包括蛤蜊、牡蛎、扇贝等双壳类和田螺、鲍鱼、香螺等单壳类（螺类）。

头足类：足部特化为环绕口部的触腕，头部发达，神经系统较复杂，肉质紧实，如鱿鱼、章鱼、墨鱼等。

5.2.2 水产品的挑选

水产品挑选的要诀可总结为：一看，二按，三闻。

一看：即观察水产品的外观特征。

鱼类：眼球饱满、清澈透明，角膜清晰不凹陷；鳃丝鲜红或暗红，湿润无黏液，无异味；体表鳞片完整、紧贴，有自然光泽，无黏液过多或溃烂。

虾类：壳与肉紧实，无脱壳或空壳现象；头节未发黑，体色青灰或半透明有光泽；整虾形态完整，无断裂。

蟹类：外壳坚硬、色泽明亮，肢体完整，活蟹反应灵敏（钳足有力、能爬行）。

贝类：外壳完整无破损，双壳类（如蛤蜊、牡蛎等）能自然闭合或轻触后闭合，无异味。

头足类（鱿鱼、章鱼等）：体表有光泽，呈半透明或原有色泽；触腕有力，吸盘清晰，能自然收缩；无褪色或发白现象。

二按：即按弹性动手检查肉质弹性。

用手指轻轻按压肉质部位，若能迅速恢复原状则表示新鲜。

注意检查是否有过多黏液，适量的黏液属正常现象，但不应过于黏稠或有异味。

三闻：即通过嗅觉闻味来判断。

新鲜的水产品应无明显异味，仅有一种淡淡的海洋气息（海水咸味）或特有的清鲜味。

若闻到明显的腥臭味或其他异常气味，则表明产品可能已经变质，不宜购买。

5.2.3 水产品天然毒素及注意事项

水产品中可能存在多种天然毒素或生物性危害，食用前应了解其种类、来源及防范措施，以保障食品安全。

一、常见含天然毒素的水产品

热带珊瑚礁鱼类

有些热带珊瑚礁鱼，如石斑鱼、笛鲷等可能含有雪卡毒素，这种毒素来源于海洋藻类，通过食物链富集。其中毒表现为胃肠道症状及神经系统异常（如手脚发麻、冷热感颠倒）。这种毒素耐高温，无法通过烹饪去除。因此，不要自行捕捞或食用不明来源的热带野生鱼类。

河豚鱼

河豚鱼含有剧毒的河豚毒素，存在于其卵巢、肝脏、肾脏、血液、皮肤和眼睛中。其毒性强于氰化物，少量即可致命，所以河豚鱼必须由持证专业厨师按国家规范去除毒素后方可食用，严禁家庭私自加工或食用野生河豚鱼。

黄鳝和鳗鲡

黄鳝和鳗鲡的血液中含有鱼血毒素（一种对黏膜有强烈刺激性的蛋白毒素），生饮或生食可能引起恶心、呕吐、腹泻、皮疹等症状。这种毒素可被高温破坏，故食用前应彻底加热，且处理时应避免血液溅入眼睛或口鼻。

鱼胆有毒

青鱼、草鱼、鲤鱼等的鱼胆含有胆酸类毒素，误食可能引起肝肾功能损害甚至急性中毒。烹调前务必清除鱼胆，严禁生食。

“鱼胆清热解毒”的说法无科学依据，切勿相信民间传言。

二、食用安全建议

1. 烧熟煮透

水产品中的病菌主要是副溶血性弧菌等，耐热性比较强，80℃以上高温才能杀灭。除了水中带来的细菌之外，水产品中还可能存在寄生虫卵以及加工过程中带来的病菌和病毒，所以食用水产品最好是做到烧熟煮透。

水产品应加热至中心温度75℃以上，持续加热不少于1分钟。贝类应在煮沸后待壳张开后再煮数分钟，对于始终未张开的贝壳应丢弃不食；虾蟹类应观察外壳变红、肉质变硬后再判断是否熟透。

2. 慎食生食

海鲜和河鲜带菌率高，未经高温处理，存在细菌、寄生虫感染风险。

不建议生食或半生食水产品，特殊场合下仅限选择正规渠道供应的即食生食水产品。

3. 避免空腹或过量食用

空腹进食大量水产品可能加重肠胃负担，引起不适，过量食用可能导致消化不良或过敏反应。

4. 不宜与寒凉食物同食

从中医角度而言，海鲜本性寒凉，最好在食用时避免与一些寒凉的食物同食。吃完水产品后也不应该马上饮用一些像冰水、雪糕这样的冰镇饮品，还要注意少吃或者不吃西瓜、梨等寒性水果，以免导致身体不适。

5. 不宜与啤酒、红酒等酒精类饮品同食

食用海鲜时饮用大量酒精类饮品（特别是啤酒），会产生过多的尿酸，从而引发痛风。尿酸过多，会沉积在关节或软组织中，从而引起关节和软组织发炎。

痛风患者更是应避免在食用海鲜时饮酒，防止尿酸升高诱发痛风发作。

5.3 代表性水产品的初加工

5.3.1 大虾

1. 清洁：活虾可先在清水中静养10～30分钟，促其吐净泥沙，然后再冲洗；冷冻虾则需解冻后清洗。

2. 修剪：用剪刀剪去虾须、虾脚和虾头部的尖刺。

3. 去虾胃（沙袋）：在虾头与虾身连接处剪开一个小口，用牙签或镊子小心挑出黑褐色的虾胃（沙袋）。

4. 去虾线（肠线）：用牙签从虾背第二节或第三节的壳缝中插入，挑破表皮，抽出虾线。

剪去虾须、虾脚和头部尖刺

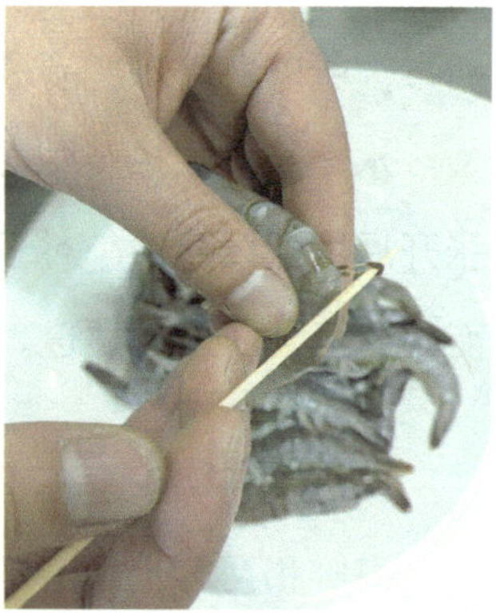

挑虾线

5.3.2 鱼类

1. 宰杀：可用刀割断鱼鳃根部或轻敲鱼头致其死亡。

2. 刮鳞：适用于带鳞鱼类，如大黄鱼、小黄鱼、鲈鱼、加吉鱼、鲤鱼、草鱼等。具体操作方法为：用专用刮鳞器或刀背，从鱼尾向鱼头方向逆着鱼鳞生长方向刮除所有鱼鳞。注意刮净腹部、头部等细小部位的鱼鳞。

3. 去鳃：翻开鳃盖，用手指或镊子将两侧鱼鳃完整抠出并去除。

4. 剖腹去内脏：从鱼肛门处下刀，沿腹部向头部方向剖开，或根据烹饪需要开背。小心取出内脏，注意不要弄破鱼胆。

5. 清洗：用流动的清水彻底冲洗鱼体内外，特别是腹腔内壁上的黑膜和脊骨附近的血污，确保无血水、无残留。

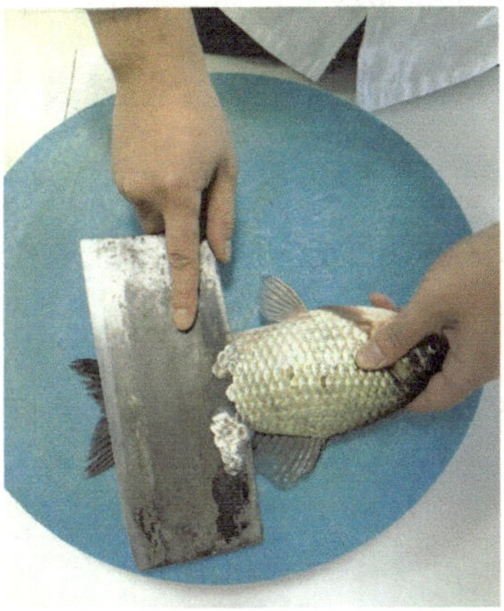

刮鱼鳞

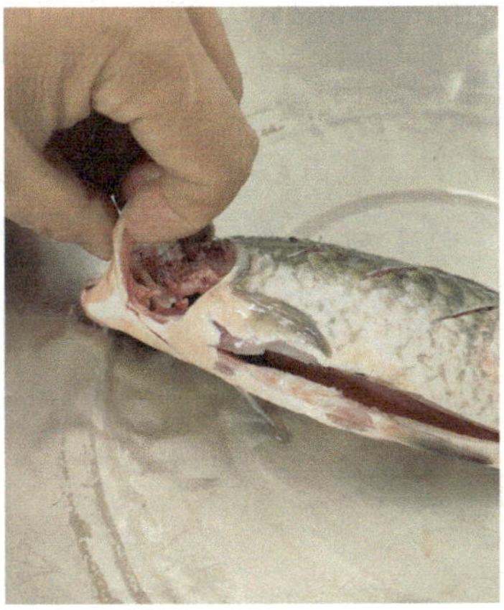

清理干净的鱼鳃

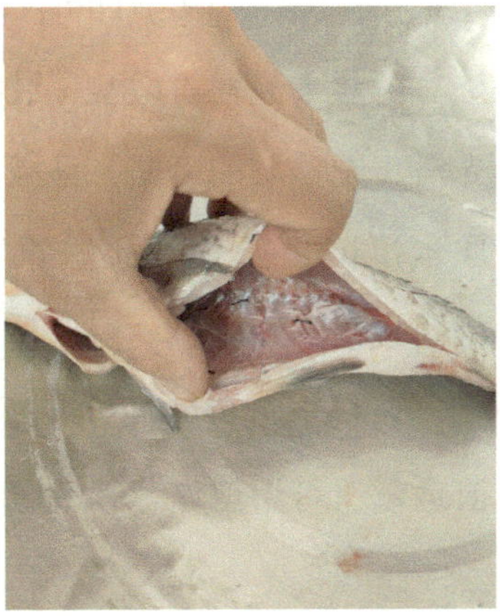

清理干净的鱼腹

5.4 几种水产类菜品的做法

5.4.1 蒜蓉粉丝开背虾

一、食材和调料

大虾：挑选新鲜的整只虾，建议使用基围虾、对虾等个头较大的品种。新鲜的虾外壳坚硬有光泽，虾眼清澈，虾身有弹性。根据食用人数适量准备，一般每人3～5只。虾是这道菜的主要食材，其鲜美的口感是菜肴的关键。

龙口粉丝：龙口粉丝以其细腻、耐煮的特点成为这道菜的理想选择。准备适量龙口粉丝，一般100～150克即可，需提前清水泡发30分钟，再焯水30秒至柔软，过冷水沥干备用。

三丝：包括青椒丝、红椒丝和葱白丝，主要用于装饰，增添菜肴的色泽。选择表皮光滑、无褶皱的青椒、红椒各1个。将青椒和红椒都切成细丝，丝的宽度约为0.2～0.3厘米，长度5～6厘米。准备1段大葱，约5～6厘米长，取葱白部分切成与青红椒丝相同规格的细丝。

调料：蒸鱼豉油20毫升、料酒10～15毫升、盐3～5克、胡椒粉2～3克、蒜蓉酱适量（可用现炸蒜蓉或市售蒜蓉酱）。

二、制作流程

1. 处理虾

用剪刀剪去虾须、虾枪和步足；用牙签挑除虾线；沿虾背从头部至尾部切开约三分之一深，使背部展开呈扇形。

提前腌制

2. 腌制

将处理好的虾放入碗中，加入葱段、姜片、10～15毫升料酒、3～5克盐和2～3克胡椒粉。将调料与虾充分搅拌均匀，使每只虾都均匀地裹上调料。腌制时间为15～20分钟，让虾充分吸收调料的味道，达到去腥增香的效果。

3. 处理粉丝

烧一锅开水，水开后将提前泡软的龙口粉丝放入锅中，用筷子轻轻搅拌，使粉丝受热均匀。焯烫粉丝的时间一般为30秒，当粉丝变得柔软且没有硬芯时，用漏勺捞出，放入冷水中冲洗一下，去除表面的黏液，然后沥干水分备用。

4. 摆盘

取一个干净的成品容器，将烫软并沥干水分的龙口粉丝均匀地铺在盘子底部，形成一层垫底。然后将腌制好的虾，以开背朝上的方式整齐地摆放在粉丝上，可以摆成圆形、方形等美观的图案。在每只虾的开背处放入适量蒜蓉酱。

5. 蒸制

将摆好盘的菜肴放入蒸锅中，盖上锅盖，先开大火将水烧开，然后转中火蒸制8～10分钟。

6. 装饰与调味

出锅后在菜肴表面点缀青红椒丝、葱丝等。

锅中烧热油约15克，七成热时快速淋在菜肴表面，然后加入15～20毫升蒸鱼豉油，一道色香味俱佳的蒜蓉粉丝开背虾就制作完成了。

蒸好后加入葱丝等装饰

三、技术要点

1. 去虾线技巧

用牙签从虾背第三节插入，慢慢挑出虾线（虾的消化道残留），避免影响口感和卫生。

2. 开背操作

开背时要用刀尖沿着虾背纵向切开约三分之一深度，过浅不利于去除虾线和后续蒜蓉酱的放置，过深则可能导致虾在蒸制过程中容易散开，影响成型美观。

3. 蒸制时间控制

根据虾的大小调整时间，通常水开后再蒸8～10分钟为宜，既能确保虾肉熟透，又能防止虾肉变老，从而保持鲜嫩的口感。

4. 蒜蓉酱的选择

建议使用现炸蒜蓉，其香气更浓郁，也可加入少许蚝油、糖、辣椒等调味。

5. 淋油时机

淋油应在出锅后立即进行，保证香气释放充分。

5.4.2 爆炒鱿鱼卷

一、食材和调料

主料：鱿鱼，准备300～400克新鲜鱿鱼，挑选时应选择体形完整、表面光泽自然、肉质紧实有弹性、无异味的鱿鱼。

配料：青红椒各1个（去籽切细丝）、洋葱半个（切成长条）、姜适量（切片）。

食用油适量。

调料：料酒10～15毫升、盐3～5克、白糖2～3克、味精1～2克、生抽10～15毫升。

二、制作流程

1. 食材初加工

用刀将鱿鱼的内脏、头、软骨去除，然后撕去鱿鱼的外层黑色角质膜和内部黏膜，清洗后根据鱿鱼的大小和形状，在内侧斜刀60°在鱿鱼表面划三分之二深度的花刀，花刀的纹路要均匀整齐，这样在炒制过程中鱿鱼能够均匀受热，并且成型一致。

将青红椒洗净，去籽后切丝备用。将洋葱切成长条，姜切片备用。

切花刀

2. 焯水

在锅中加入适量的清水，大火将水烧开，水开后放入洋葱、姜片和料酒。将处理好的鱿鱼放入锅中，注意要迅速放入并适当搅动，然后将青红椒丝也放入水中。当鱿鱼颜色由透明变为白色，并且卷曲成型时，鱿鱼基本就焯熟了。用漏勺将焯好水的鱿鱼和配菜捞出，沥干水分备用。

鱿鱼焯水

焯完水的鱿鱼放在漏勺中沥水备用

3. 爆炒

起锅烧油，在锅中倒入少许食用油，将油加热至五成热（约150℃，油面微微冒烟）。将鱿鱼和初步成熟的青红椒、洋葱等放入锅中，快速翻炒几下。接着加入3～5克盐、5～8克糖、2～3克味精和10～15毫升生抽，继续翻炒均匀。

大火爆炒

待调料与食材充分融合、鱿鱼卷定型后立即出锅装盘，一道美味的爆炒鱿鱼就制作完成了。

三、技术要点

1. 去腥处理

彻底去除鱿鱼的内脏、头、软骨、外黑皮和内膜皮，能有效减少鱿鱼的腥味，提升口感。

2. 焯水技巧

鱿鱼焯水时间控制在20～30秒，避免鱿鱼过老变韧；可通过观察颜色变化（从半透明变为乳白）判断成熟度。

3. 花刀技巧

采用十字花刀有助于鱿鱼卷成型美观、吸味均匀。刀口控制在三分之二深度，不可切断。

4. 掌握火候

整个炒制过程需大火快炒，保持鱿鱼的脆嫩口感；出锅前注意调味均匀，避免过咸或焦煳。

5.4.3 酸菜鱼

一、食材和调料

龙利鱼：准备500～600克龙利鱼，龙利鱼肉质鲜嫩，无刺，是制作酸菜鱼的理想食材。

酸菜：200～300克，洗净切段备用。酸菜的酸味为菜品增添了独特风味。

泡椒：30～50克，剁碎使用。泡椒能增加菜品的辣味和香气。

干辣椒：5～8个，剪段备用。干辣椒主要用于点缀和增添香味。

葱：1～2根，分别切段和切末。葱为菜品增添香味并装饰菜品。

姜：1块姜，约15～20克，分别切片和切末。姜主要用于去腥增香。

蒜：3～5瓣蒜，切末，用来增添香味。

淀粉：5～8克。

色拉油：40～60毫升。

调料：花椒5～6粒、料酒10～15毫升、生抽10～15毫升、盐1～2克、味精1～2克、鸡精1～2克、白胡椒粉1克。

二、制作流程

1. 预处理食材

将龙利鱼洗净切厚片，沥干水分后放入碗中；加入料酒、2～3克盐、2～3克白胡椒粉和10～15克淀粉，用手抓拌均匀，腌制15～20分钟，使鱼片充分吸收调料的味道，同时淀粉能使鱼片更加滑嫩。

把酸菜切段，葱切末，姜切成片，蒜切成末，分别放置在碗中备用。

提前腌制鱼片

酸菜切段

2. 炒酸菜底料

在锅中倒入30～50毫升色拉油，开中火，待油热后，放入花椒粒小火煸香；再加入葱花、酸菜段、泡椒末用铲子翻炒3～5分钟，炒出酸菜的香味。

炒酸菜底料

3. 煮汤调味

酸菜炒出香味后，加入适量清水或高汤（水量以能没过鱼片和酸菜为准），开大火将水烧开。

水开后，加入10～15毫升生抽、1～2克盐（根据个人口味调整）、2～3克味精（可根据个人口味添加）、2～3克鸡精（可根据个人口味添加），搅拌均匀，调味后转中火继续煮2～3分钟，使汤汁充分吸收酸菜的味道。

4. 烫鱼片

用漏勺将煮好的酸菜捞出，放入一个大碗中备用，此时锅中留下汤汁。将腌制好的鱼片一片一片地放入锅中，轻轻推动，防止鱼片粘连。放入鱼片后，转中火煮约3分钟，至鱼片熟透，鱼片变色且质地变硬时说明已经煮熟。

水开后调味

烫鱼片

5. 装盘淋油

将煮好的鱼片和鱼汤一起倒入装有酸菜的大碗中，撒上5～10克花椒、5～8个干辣椒段、葱末、蒜末等点缀。

在锅中再倒入少许色拉油，开大火将油烧热，至油冒烟时，迅速将热油淋在酸菜鱼上，激发出花椒、干辣椒、葱、姜、蒜和泡椒的香味。

淋油增香

三、技术要点

1. 鱼片腌制技巧

腌制鱼片时加入少量淀粉在鱼片表面形成一层保护膜，能够锁住鱼片的水分，防止水分流失，从而使鱼片在煮制过程中更加滑嫩。同时，料酒、盐和白胡椒粉的加入能够有效去除鱼片的腥味，增添风味。

2. 鱼片煮制时间控制

龙利鱼肉质鲜嫩，煮制时间过长会导致鱼片变老，口感变差。一般煮3分钟左右，当鱼片浮起、颜色变白且质地变硬时，即可捞出，这样能保证鱼片的鲜嫩口感。

3. 高温淋油

淋油时油温要高，高温的油能够迅速激发出花椒、干辣椒、葱、姜、蒜和泡椒的香味，使酸菜鱼的味道更加浓郁。

4. 调味注意事项

酸菜本身含盐较高，加盐时应酌情减少；可根据个人口味添加少量糖提鲜。

5.4.4 鲫鱼汤

一、食材和调料

鲫鱼：1条新鲜的鲫鱼，重量约400～800克。挑选鲫鱼时，要选择鱼身完整、鳞片光亮、鱼眼突出且清澈、鱼鳃鲜红的鲫鱼。这样的鲫鱼较为新鲜，做出的汤味道更鲜美。

豆腐：200～300克，可选用嫩豆腐或老豆腐（根据个人口感喜好选择，嫩豆腐口感细腻，老豆腐则更有嚼劲），切成约2厘米见方的小块。

口蘑：100～150克，选择菌盖完整、表面光滑、无斑点的口蘑。口蘑能为汤增添独特的鲜味。

大豆油：30～50毫升。

调料：盐5～8克、味精2～3克、葱适量（切段）、姜适量（切片）、料酒15～20毫升、香油5～10毫升。

二、制作流程

1. 食材初加工

将鲫鱼放在案板上，用刀从鱼尾向鱼头方向刮去鱼鳞，确保鱼鳞去除干净。然后用剪刀剪开鱼肚，取出内脏，注意不要弄破鱼胆，否则会使鱼肉变苦。接着，将鱼腹内的黑膜彻底清除，黑膜是腥味的主要来源之一。再用剪刀剪去鱼鳃，鱼鳃也含有较多腥味物质。处理好后，将鲫鱼用清水冲洗干净，在鱼身两面各斜切几刀，深度约为1～1.5厘米，方便入味。

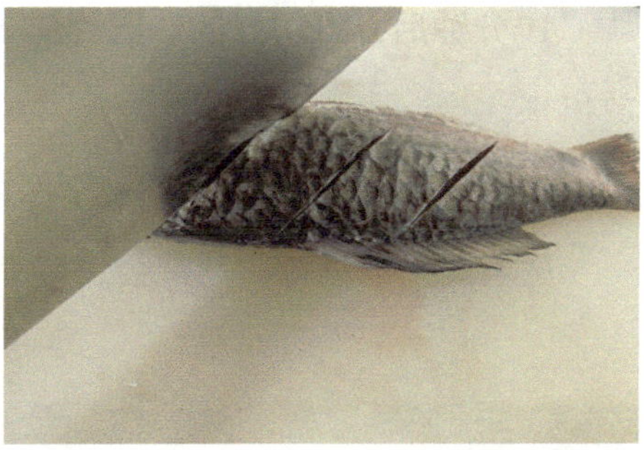

处理好的鲫鱼斜切几刀

2. 处理配菜

将口蘑洗净，切成厚度约0.5厘米的薄片。

把大葱切成段，每段长度3～4厘米。

生姜切成片，厚度约0.3厘米。

将豆腐切成大小均匀的方块，方块边长约为2厘米。切好后将豆腐放入清水中浸泡，防止粘连。

处理好的配菜

3. 煎鱼去腥

将炒锅置于炉灶上，开火将锅烧热，倒入30～50毫升大豆油。待油温七成热时，将处理好的鲫鱼轻轻放入锅中。保持小火，煎制鲫鱼，2～3分钟，当鲫鱼的一面煎至金黄时，用锅铲小心地将鲫鱼翻面，煎制另一面，同样煎至金黄。在煎制过程中，可适当晃动炒锅，使鲫鱼受热均匀。

小火慢煎

鲫鱼两面煎好后，沿着锅边淋入15～20毫升料酒，料酒遇热会迅速挥发，带走鲫鱼的腥味。此时可闻到浓郁的酒香。

4. 炖汤

料酒烹入后，向锅中加入足量的开水，水量要没过鲫鱼。放入切好的姜片，然后将煎好的鲫鱼连同锅中的汤汁一起倒入汤煲中。

盖上汤煲的盖子，开大火将汤烧开。水烧开后，转中小火慢炖约10分钟，使鲫鱼的鲜味充分融入汤中。

10分钟后，将切好的口蘑片放入汤煲中，继续炖煮3～5分钟，让口蘑的鲜味也释放出来。

接着将浸泡在清水中的豆腐块捞出，放入汤煲中，再次炖煮5～8分钟。

随着炖煮的进行，汤汁会逐渐变得浓稠。

加入足量开水

鱼汤中加入口蘑和豆腐

5. 调味装盘

当汤汁呈现奶白色时，加入5～8克盐和2～3克味精进行调味，用勺子轻柔地搅拌均匀，使调料充分溶解在汤中。

然后放入切好的葱段，再次开大火将汤烧开。

烧开后，关火，将汤煲中的鲫鱼豆腐汤小心地倒入汤碗中，然后撒上葱花或枸杞，再淋上5～10毫升香油，一道美味的鲫鱼豆腐汤就制作完成了。

三、技术要点

1. 去腥是关键

鲫鱼的腮和腹内黑膜是腥味的主要来源，在处理鲫鱼时必须彻底去除。去除腮可以减少鱼腥味的散发，而清除腹内黑膜能有效减少汤中的异味。此外，鱼两面煎好后淋入料酒去腥效果显著。

2. 炖煮的火候控制

先用大火将汤烧开，能迅速使食材受热，激发鲜味。转中小火慢炖能让鲫鱼、口蘑和豆腐的味道充分释放并相互融合。炖煮时间要根据食材的量适当调整，但总体不宜过长或过短。口蘑、豆腐等稍后加入，避免久炖影响口感。

3. 豆腐选择技巧

嫩豆腐细腻滑嫩，适合喜欢软嫩口感者；老豆腐耐煮有嚼劲，适合长时间炖煮。

4. 香油提香

关火后淋入少量香油可有效提升汤品香气；可搭配葱花、枸杞点缀，增加视觉美感。

5.4.5 清蒸鲈鱼

一、食材和调料

鲈鱼：准备1条500～700克的鲈鱼，挑选新鲜完整、鱼眼清澈、鳃红鳞亮的鱼。新鲜的鲈鱼肉质更加鲜嫩，口感更好。

葱姜：葱2～3根，姜1块，部分用于腌制和垫底，部分用于最后点缀。

红椒：三分之一个，切成细丝，用于装饰点缀。

猪油或食用油：1～2汤匙。

调料：蒸鱼豉油10～15毫升、料酒10～15毫升、盐3～5克、胡椒粉2～3克、米酒适量。

二、制作流程

1. 食材初加工

将鲈鱼放在案板上，用刀将鲈鱼的鳃挖出，然后从鱼腹部剖开，取出内脏。

用清水将鲈鱼内外冲洗干净，沥干水分。

在洗净、沥干水分的鲈鱼身上斜着切几刀，切成花刀，这样可以使鲈鱼在蒸制过程中更好地入味。

把2～3根葱和1块姜分别切成细丝和薄片，三分之一个红椒切成丝，放在盘中备用。

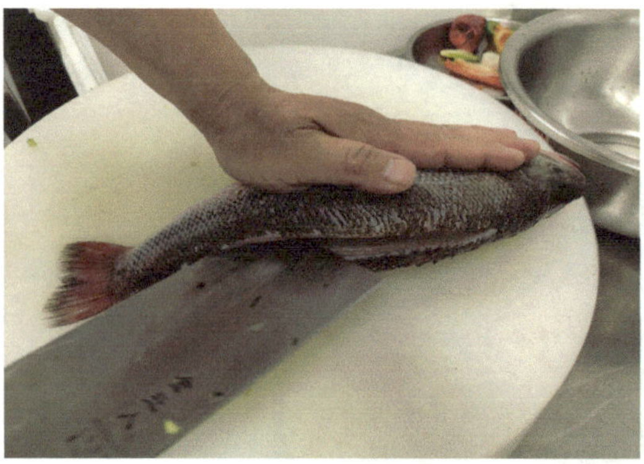

剖开鱼腹

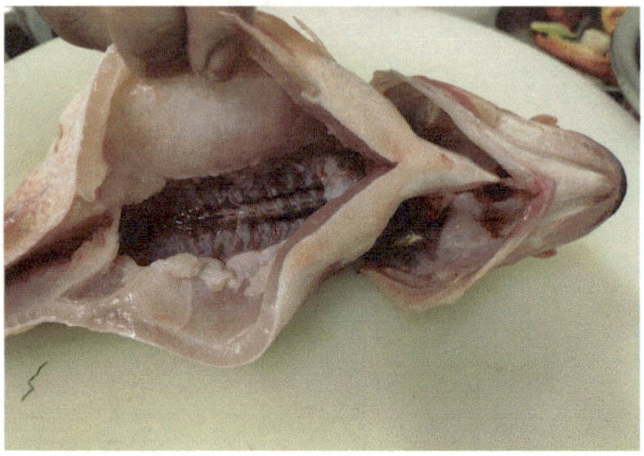

取出内脏

葱、姜、红椒分别切丝

2. 腌制去腥

将鲈鱼放入盘中，加入10～15毫升蒸鱼豉油、适量切好的葱姜丝、3～5克盐、2～3克胡椒粉和10～15毫升料酒，将调料在鱼身内外抹匀，腌制10～15分钟，让鲈鱼充分吸收调料的味道。

3. 摆盘准备

在蒸鱼盘底部铺上一层切好的葱姜，将腌制好的鲈鱼放在葱姜上，并在鱼肚子中也塞上葱丝和姜片。

在鱼身上淋上1～2汤勺食用油。

将鲈鱼放在铺好葱姜片的盘上

在鱼身上淋食用油

4. 蒸制

锅中加入足量的水，开大火将水烧开，水开后将蒸鱼盘放入锅中，盖上锅盖，转中火蒸制。蒸5分钟后，打开锅盖，倒掉蒸鱼盘里的水。从鱼的一侧淋入适量米酒，继续盖上锅盖蒸3分钟。在蒸制过程中不要揭开锅盖，3分钟后关火，再焖5分钟，利用余温让鲈鱼熟透。

5. 调味装盘

将蒸好的鲈鱼小心地移到干净的盘子中。把葱丝、姜丝和红椒丝一起均匀地摆放在鱼身上进行装饰。将适量蒸鱼豉油淋在鱼身上。

起锅烧油，开大火将油烧热，看到油冒烟时，迅速将热油浇在鱼身上，激发出葱姜丝和红椒丝的香味，一道美味的清蒸鲈鱼就制作完成了。

在蒸好的鱼身上浇热油

三、技术要点

1. 去腥是关键

鲈鱼去鳃、内脏和腹内黑膜是基础步骤，这些部位是腥味的主要来源，需彻底去除干净。倒掉蒸鱼水也是去腥的重要步骤。

2. 蒸制的火候和时间控制

关注火力和时间，避免把鱼蒸“散”。蒸制时先大火将水烧开，再中火蒸制，保持蒸汽稳定。蒸5分钟后倒掉蒸鱼水，加入米酒继续蒸3分钟，关火后焖5分钟，这样的时间安排能确保鲈鱼熟透且肉质鲜嫩。

3. 葱姜丝处理技巧

用于装饰的葱姜丝切得越细越好，并可浸泡于清水中使其卷曲，更为美观。

4. 淋油温度控制

油温升至七成热（约210℃，插入筷子冒泡），才能充分激发出葱姜和豉油的复合香味。油温过高易炸煳葱姜丝，影响美观。

5.4.6 五彩鱼丝

一、食材和调料

主料：龙利鱼300克、香菇50克、青红椒各30克。

辅料：鸡蛋（取蛋清）1个，葱、姜、蒜各适量，食用油适量。

调料：盐3～4克、味精1～2克、料酒10毫升、淀粉10克、香油3～5毫升。

二、制作流程

1. 食材处理

将龙利鱼洗净沥干水分，切成均匀的细丝。青椒、红椒、香菇分别洗净切成细丝，分开放置备用。葱、姜、蒜切末。

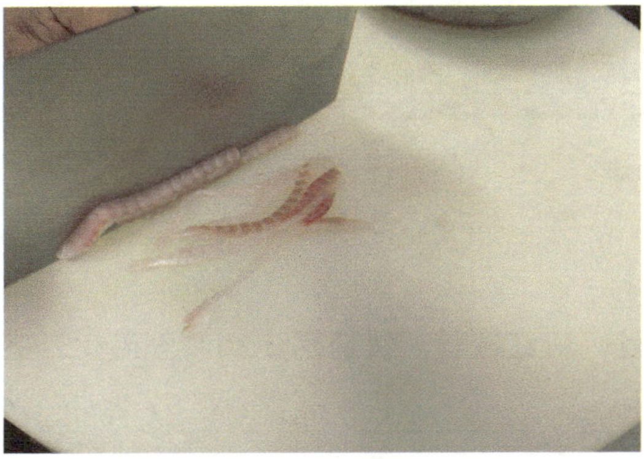

龙利鱼切细丝

青椒、红椒、香菇切好备用

2. 腌制上浆

把切好的鱼丝放入碗中，加入适量盐、料酒和葱姜末，轻轻搅拌均匀。接着加入蛋清，继续搅拌均匀，让鱼丝充分吸收蛋清。最后在鱼丝表面均匀拍上一层干淀粉，沿着一个方向轻轻搅拌上劲后，放置一旁待用。

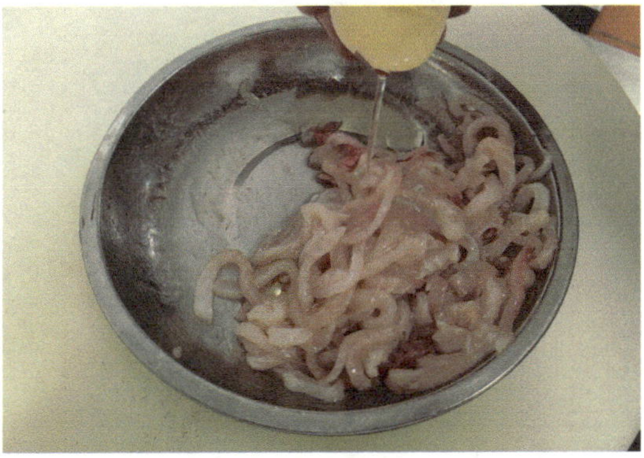

加蛋清腌制

鱼丝表面拍一层干淀粉

3. 滑油处理

锅中倒入适量油，烧至四成热，将鱼丝倒入锅中，用勺子快速划散。待鱼丝变白后立即捞出控油。

鱼丝滑油

4. 炒配料

起锅烧油，待油温七成热后，放入香菇丝、青红椒丝，快速翻炒30秒至断生，盛出备用。

5. 合炒调味

另起锅，倒入少许油，油热后放入葱姜蒜爆香。香味溢出后，倒入滑好的鱼丝和炒好的配料，进行快速爆炒，让食材充分混合。

加入适量盐、味精调味，翻炒均匀。然后淋入少量淀粉芡汁，使汤汁清亮并均匀包裹在食材上。最后淋入少许香油，翻炒几下，即可出锅装盘。

爆香葱姜蒜

合炒食材

三、技术要点

1. 调味、上浆不可少

鱼丝烹调前的调味、上浆等流程必不可少。调味能有效去腥；上浆能锁住鱼丝水分，使鱼丝在滑炒时保持水分，口感更滑嫩。

2. 滑油与火候控制

滑油时油温不宜过高，防止鱼丝变老；配菜应稍后大火快炒，保持爽脆口感。

3. 芡汁运用

使用薄芡可提升菜品光泽和滋味，避免过浓掩盖清爽口感。

4. 顺序安排

先滑鱼丝，再炒配菜，最后合炒，确保每种食材成熟度一致。

生活小贴士

1. 怎样做鱼才能不腥?

为了去除鱼腥味，可将处理干净的鱼放入容器中，加入适量料酒（或少量白酒）、葱段、姜片进行腌制，时间控制在10 ~ 15分钟。

鱼腥味主要来源于鱼体内含有的三甲胺氧化物，它在鱼死亡后会逐渐分解为带有腥味的三甲胺。料酒中的酒精能有效溶解这些物质，并随着加热而挥发出去。同时，葱姜具有去腥增香的作用，能使鱼肉更鲜美。

2. 蒸鱼时要用开水吗?

是的。蒸鱼前应先将水烧开，再将鱼放入蒸锅中开始计时。这样做可以利用蒸汽迅速锁住鱼肉水分，避免腥味扩散，也有助于保持鱼肉的鲜嫩口感和光泽。

但要注意控制蒸制时间：一般500克左右的鱼，蒸8 ~ 10分钟即可熟透，关火后焖2 ~ 3分钟更佳。蒸得过久会导致鱼肉发柴。

若想提升香味，可在鱼身上放少许猪油或植物油（如花生油），也可搭配葱丝、红椒丝等淋热油激香。

温馨提示：蒸鱼过程中不要频繁揭盖，以免温度骤降影响口感。

3. 煎鱼不粘锅的小技巧

煎鱼时容易粘锅，影响美观又破坏口感。可以在煎鱼前将锅烧热，加入适量食用油后转动锅体使油均匀分布，再放入少量食盐，用中小火将锅底“养”一下。

把鱼身水分擦干（可用厨房纸吸干），待油温足够高时再轻轻放入锅中，先不要翻动，等到底部微微变黄后再翻面。这样煎出的鱼完整不碎，外皮酥香。

4. 煮虾不去壳更鲜美

煮虾时很多人喜欢提前剥壳，但其实带壳煮虾更鲜美。虾壳中含有丰富的虾青素和风味物质，能提升整体汤汁的味道。煮熟后趁热剥掉虾壳即可，这样既保留了营养和风味，又能避免长时间加热导致虾肉缩水变老。如果担心口感，可在剥壳后淋上一点蒜蓉酱或热油调味，味道更佳。

5. 鱿鱼炒不老的小秘诀

炒鱿鱼容易变老发硬，影响口感。要让鱿鱼保持嫩滑，关键是控制火候和时间。

鱿鱼切好后可先焯水，水开后放入鱿鱼片，快速焯烫10 ~ 20秒，待其颜色变白、略微卷起即可捞出。然后再与配菜一起快炒，时间控制在1 ~ 2分钟，就能做出脆嫩适口的爆炒鱿鱼。

6. 冷冻鱼如何解冻才不腥、不柴?

冷冻鱼如果解冻不当，不仅容易流失水分，还会变得又腥又柴。

正确做法是：提前将鱼从冷冻室移到冷藏室缓慢解冻；若时间紧张，可用冷水浸泡法——将鱼密封在保鲜袋中，放入冷水中浸泡30分钟左右。解冻后立即处理，不要反复冷冻。为了更好地去腥，可在水中加少许醋或料酒。

7.炖鱼汤奶白浓香的关键步骤

想要炖出奶白色、浓香的鱼汤，关键在于煎鱼这一步。

鱼洗净擦干后，锅中放油烧热，放入鱼两面煎至金黄，逼出油脂。然后一次性加入足量开水（一定要是开水），大火炖煮10 ~ 15分钟，鱼汤自然乳白浓郁。

切记：不要中途加冷水，否则汤色会变清，影响口感。

8.蒸鱼豉油什么时候放最合适?

清蒸鱼时很多人都习惯一开始就放蒸鱼豉油，结果导致鱼肉发黑、味道过咸。

正确的做法是：鱼蒸好后再淋蒸鱼豉油，或者在蒸制最后1 ~ 2分钟加入，这样既能提鲜，又不会让鱼肉颜色变暗、质地变老。

若想更香，可在鱼身上撒些葱丝、青红椒丝，再淋上热油激发香气。

第6章

主食类的加工知识

6.1 碳水化合物的营养价值

主食是人体日常能量摄入的主要来源之一，在膳食中占据重要地位。碳水化合物由碳、氢、氧三种元素组成，通常分子式为$C_n(H_2O)_m$，因此得名“碳水化合物”。根据聚合度不同，碳水化合物可分为单糖（如葡萄糖、果糖）、双糖（如蔗糖、乳糖）、寡糖（如低聚果糖）和多糖（如淀粉、糖原、纤维素）等。

碳水化合物的主要生理功能如下：

1. 提供能量

碳水化合物经胃肠道消化吸收后转化为葡萄糖，进入血液，成为机体的重要能量来源。其主要食物来源有：谷类（如大米、小麦）、薯类（如土豆、红薯）、豆类（如红豆、绿豆）、水果（如苹果、香蕉）及添加糖（如白糖、红糖）等。

每克碳水化合物大约能提供4千卡的能量。高GI（血糖生成指数）的食物能被快速吸收，可为高强度运动或急需补充能量时提供即时能量；低GI的食物消化吸收慢，有助于维持血糖平稳，是糖尿病患者膳食管理的优先选择，也常被推荐用于体重管理，以增加饱腹感。

2. 节约蛋白质

蛋白质不仅是人体的结构成分，还参与多种生理功能，如酶催化、免疫调节等。在饥饿状态下，身体会分解肌肉中的蛋白质来获取能量。这不仅损害肌肉健康，还会影响新陈代谢。

当碳水化合物摄入充足时，机体优先利用其供能，避免将蛋白质用于能量代谢，使蛋白质更好地用于合成新的组织蛋白和酶类等生物大分子。

3. 维持脑细胞功能

葡萄糖是大脑正常运作的主要能量来源，在一般膳食条件下，大脑几乎完全依赖血糖供能；在极端情况下（如长时间饥饿），肝脏会分解脂肪产生酮体，作为大脑等重要器官的替代能源。

大脑每天消耗约120克葡萄糖，约占成人总能量需求的20%。

生酮饮食通过限制碳水化合物摄入，迫使身体进入酮症状态，以脂肪酸代谢产物酮体作为主要能量来源，但需谨慎使用。

4. 预防脂肪代谢紊乱

对于健康个体，充足的碳水化合物摄入有助于抑制脂肪的过度分解，减少脂肪代谢产物——酮体的生成；在糖尿病等特殊病理状态下，碳水化合物不足可能导致酮体堆积，引发酮症酸中毒。

酮症酸中毒是一种严重的代谢紊乱，常见于未控制的糖尿病患者。适量摄入碳水化合物可以维持血糖稳定，预防酮症的发生。

6.2 常见主食的分类

主食有很多分类方法，一般常用的有以下几种分类方法。

一、按加工程度分类

主食可以分为细粮和粗粮。

细粮是指经过精制加工的粮食，如白米饭、白面条、白馒头等。粗粮是指未经精制或仅经简单加工的粮食，如糙米、燕麦、黑米、小米、高粱米、荞麦仁、薏米等。

粗粮由于加工简单，保留了许多细粮中没有或者比重较少的营养成分，如B族维生素和矿物质、膳食纤维、蛋白质等，因此粗粮的营养密度通常更高。但由于粗粮加工没有细粮精细，因此在消化、吸收以及口感上细粮更有优势。

日常饮食中，我们应做到粗粮与细粮搭配食用，既保证口感和消化需求，又满足机体对多种营养素的摄入要求。长期单一食用细粮容易导致膳食纤维和微量营养素摄入不足，增加便秘风险；而完全以粗粮为主则可能加重胃肠负担。

表 6-1 粗粮与细粮的特点对比表

特点	细粮	粗粮
加工方式	去除麸皮、胚芽，精磨	保留麸皮、胚芽
营养保留	损失较多，尤其是B族维生素、膳食纤维、矿物质	保留率高，富含膳食纤维、维生素和矿物质
消化吸收	易于消化吸收，适合肠胃功能较弱者	因含较多纤维，消化负担较大
口感	细腻柔软	粗糙，咀嚼感强

二、按食物种类分类

按食物种类分，主食可分为以下三大类：

1. 谷类主食

禾本科植物的种子，如稻米、小麦、玉米、高粱等。

其营养价值为：富含碳水化合物，是人体能量的主要来源；含有一定量的蛋白质、膳食纤维、维生素（如B1、B2）和矿物质（如铁、镁）；糙米等全谷物还含有抗氧化物质，有助于调节血糖和血脂。

2. 豆类主食

即豆科植物的种子，如大豆、红豆、绿豆等。

其营养价值为：是优质植物蛋白的重要来源；富含膳食纤维、不饱和脂肪酸、维生素（如叶酸）和矿物质（如钙、钾）；含有植物雌激素、异黄酮等功能性成分；需要注意的是，豆类含有植酸、凝集素等抗营养因子，建议提前浸泡并充分加热后再食用。

豆类

3. 块茎类主食

即以地下块茎或块根为主要食用部分的植物，如土豆、甘薯、山药等。

其营养价值为：富含淀粉，能提供能量；含有一定量的膳食纤维、维生素C、钾等；土豆、红薯等还含有少量蛋白质和抗氧化成分；血糖生成指数较高，糖尿病患者应适量控制。

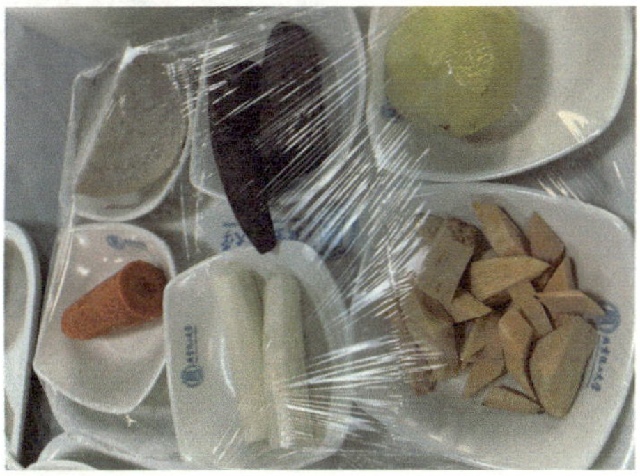

块茎类

表 6-2　三类主食营养价值比较表

类别	主要营养成分	功能（特点）	适用人群
谷类	碳水化合物、B 族维生素、膳食纤维	提供能量，促进代谢	所有人群

续表

类别	主要营养成分	功能（特点）	适用人群
豆类	植物蛋白、膳食纤维、不饱和脂肪酸	补充蛋白质，延缓饱腹感	素食者、减肥人群
块茎类	淀粉、维生素C、钾等	快速供能，增强饱腹感	运动员、体力劳动者

日常烹饪时，我们应将谷类、豆类、块茎类食物进行合理搭配，尽量做到以下几点：

（1）提高蛋白质利用率：谷类+豆类可实现氨基酸互补，提升蛋白质质量。

（2）改善膳食纤维摄入：粗粮+块茎类有助于缓解便秘，促进肠道健康。

（3）稳定血糖水平：适当减少块茎类摄入比例，搭配低GI值的全谷物更有益于控糖。

6.3 几种日常主食的做法

6.3.1 黄金炒饭

一、食材和调料

鸡蛋：3～4个。鸡蛋是制作黄金炒饭的关键食材之一，能为炒饭提供金黄诱人的色泽、丰富的营养和嫩滑的口感。

火腿：100～150克。火腿能为炒饭增添咸香的肉味和咀嚼感，使炒饭更加美味可口。

豌豆：100～150克，新鲜豌豆或冷冻豌豆均可。豌豆富含蛋白质、膳食纤维等营养成分，为炒饭增添清爽的口感和翠绿的色泽。

胡萝卜：1根，100～150克。胡萝卜富含维生素和胡萝卜素，不仅为炒饭增添丰富的营养，还能使其颜色更加鲜艳。

玉米粒：100～150克，新鲜玉米粒或冷冻玉米粒均可。玉米粒能为炒饭增加甜味和颗粒感，让炒饭的味道层次更加丰富。

香葱：2～3根。香葱能为炒饭增香提味，并装饰和美化炒饭的整体造型，使炒饭更加诱人。

色拉油：30～50毫升。

调料：盐5～8克、蚝油10～15毫升。

二、制作流程

1. 食材处理

火腿切丁：将火腿放在砧板上，用刀切成边长0.5～1厘米的小丁。切火腿时，要尽量保证丁大小均匀，这样在炒制过程中能使火腿受热均匀，同时也有利于成品的美观。

胡萝卜切丁：胡萝卜洗净去皮后同样切成边长0.5～1厘米的小丁，与火腿丁的大小基本一致。

豌豆焯水：烧一锅足量的开水，水开后，先将豌豆放入锅中焯水。由于豌豆相对较难煮熟，焯水时间可控制在3～5分钟，待豌豆颜色变得更加翠绿且稍微变软时，用漏勺捞出，放入冷水中浸泡片刻，以迅速冷却，保持其翠绿的色泽和脆嫩的口感。浸泡1～2分钟后，捞出豌豆，沥干水分，放入半成品容器中。

胡萝卜焯水：接着将切好的胡萝卜丁放入沸水中焯水，胡萝卜丁焯水时间为2～3分钟，当胡萝卜丁稍微变软时，捞出放入冷水中冷却，然后沥干水分，放入装有豌豆的半成品容器中。

玉米粒焯水：最后将玉米粒放入沸水中焯水1～2分钟，捞出冷却并沥干水分，放入半成品容

处理好的部分食材

器中备用。

米饭裹蛋黄液：将3～4个鸡蛋打入碗中，小心地分离出蛋黄和蛋清（蛋清可留作他用）。将准备好的米饭放入碗中，米饭最好选用隔夜饭或含水量较少的米饭，这样的米饭颗粒分明，更容易与蛋黄液混合。用筷子或勺子将米饭与蛋黄液充分搅拌，使蛋黄液均匀地包裹在每一粒米饭上。搅拌过程中要耐心细致，确保每粒米饭都能裹上蛋黄液，为后续炒制出金黄的炒饭奠定基础。

2. 炒制

热锅冷油：将炒锅置于炉灶上，开小火，倒入30～50毫升色拉油，烧至微温（三四成热）。

炒米饭：将搅拌好的米饭倒入锅中。用锅铲轻轻翻炒米饭，使饭粒在锅中均匀受热。随着翻炒，米饭中的水分逐渐蒸发，饭粒会慢慢变得松散，基本呈现出粒粒分明的状态。这个过程需要3～5分钟，其间要不断翻炒，避免米饭粘锅。

加入配料：当米饭炒至粒粒分明后，将半成品容器中的火腿丁、豌豆、胡萝卜丁和玉米粒全部倒入锅中。转中火，用锅铲快速翻炒，使所有食材均匀混合，充分受热。翻炒过程中，食材的香味会逐渐散发出来。

调味：食材翻炒均匀后，加入5～8克盐，根据个人口味适量调整盐的用量，用锅铲翻炒均匀，使盐均匀分布在炒饭中。接着倒入10～15毫升蚝油，继续翻炒，蚝油能为炒饭增添浓郁的鲜味和醇厚的口感，让炒饭更加美味。待调料与食材充分混合后，继续翻炒1～2分钟，确保所有食材都吸收了调料的味道。

撒葱花：最后，将2～3根香葱洗净，切成葱花，在出锅前均匀地撒在炒饭上，葱花不仅能为炒饭增添清香的味道，还能起到装饰作用，使炒饭更加诱人。

迅速将炒饭盛出装盘，一道色香味俱佳的黄金炒饭就制作完成了。

将锅中食材翻炒均匀

三、技术要点

1. 食材统一改刀与焯水处理

将火腿和胡萝卜改刀成大小基本一致的丁状，能保证在炒制过程中所有食材受热均匀，成熟度一致，同时也使成品炒饭在外观上更加美观整齐。对于豌豆、胡萝卜和玉米粒这些不易直接爆炒成熟的食材，提前进行焯水处理是关键。焯水可以使这些食材初步成熟，在后续与米饭一起炒制时，能与米饭同时达到最佳的成熟度，确保每一口炒饭的口感都恰到好处。

2. 米饭的选择与处理

选用含水量较少的米饭制作炒饭，能使米饭在与蛋黄液混合时更好地吸收蛋液，并且在炒制过程中更容易保持粒粒分明的状态。在搅拌米饭与蛋黄液时，要充分搅拌均匀，让蛋黄液紧密包裹每一粒米饭。这样在炒制时，蛋黄液会在米饭表面形成一层均匀的包裹层，经过加热后，使米饭呈现出诱人的金黄色，这也是黄金炒饭得名的原因。

3. 炒制温度与翻炒技巧

当油温达到三四成热时将米饭倒入锅中，这个温度既能使米饭在锅中缓慢受热，逐渐变得松散，又不会因为油温过高而导致米饭表面焦煳。在炒制过程中，要不断均匀地翻炒米饭和食材，确保它们受热均匀。均匀地翻炒能让蛋黄液充分凝固在米饭表面，炒出漂亮的金黄色，同时也能使各种食材的味道充分融合，让每一口炒饭都口感丰富。

6.3.2 包子

一、食材和调料

面粉：300克中筋面粉，中筋面粉的蛋白质含量适中，具有一定的韧性和延展性，适合制作包子等面食。

白砂糖：4克，白砂糖能为面团提供发酵所需的能量。

酵母：3克，酵母是面团发酵的关键，活性高、质量好的酵母，能使面团快速发酵，产生丰富的气孔，使包子口感松软。

鸡蛋：1个，鸡蛋可以增加面团的营养成分，同时使包子的口感更加细腻，还能改善包子的色泽。

温水：适量，40℃左右，用于溶解酵母，水温过高会杀死酵母，水温过低则酵母活性不足，影响发酵效果。

五花肉：200～300克，五花肉肥瘦相间，制作的肉馅口感鲜嫩多汁，肥而不腻。选择新鲜、无异味、肉质紧实的五花肉。

色拉油：10～15毫升。

调料：盐适量、胡椒粉2～3克、葱适量、姜适量、料酒5～10毫升、生抽10～15毫升、老抽5～10毫升。

二、制作流程

1. 和面

在碗中加入3克酵母，缓缓倒入约40℃的温水，用筷子轻轻搅拌，使酵母充分溶解在温水中，放置一旁备用。

取一个干净的盆，加入300克面粉和4克白砂糖，用筷子搅拌均匀。将溶解好的酵母水倒入面粉中，边倒边用筷子搅拌，使面粉逐渐呈絮状。

面粉呈絮状

当面粉呈絮状时，下手揉面，将面团揉成软硬适中的状态。揉面时要用力均匀，按照一定的方向揉，直至达到“三光”标准，即手光、盆光、面光。

“三光”状态

揉好的面团用微湿的毛巾盖上，防止面团表面干燥。将盖好毛巾的面团放置在温暖的地方进行醒发，醒发温度一般在30～35℃，醒发时间约1～1.5小时，直至面团呈现蜂窝状，体积明显膨胀。醒发好的面团内部充满了丰富的气孔，这是酵母发酵产生二氧化碳的结果。

2. 调馅

将五花肉去皮洗净，切成小丁，然后剁成泥状。把肉泥放入盛馅儿的盆中，加入适量盐、2～3克胡椒粉、葱花、姜末、10～15毫升生抽、5～10毫升老抽进行调味。

用筷子按照顺时针方向搅拌肉馅，搅拌过程中可加入10～15毫升色拉油，使肉馅更加滋润且有黏性。持续搅拌至上劲，即肉馅变得紧实，有弹性。

3. 面团整形

将醒发好的面团放在面案上，揉搓面团排气，使面团表面光滑。将面团搓成长条，分成大小均匀的面剂，每个面剂30～40克。

将面剂用擀面杖擀成中间厚、边缘薄的圆形面皮，直径8～10厘米。

调好的肉馅

将面团切成大小均匀的面剂

4. 包制

取一张擀好的面皮，放在手心，放入适量肉馅，用手指捏合面皮边缘，将肉馅包好，捏成包子形状。将包好的包子放在铺有防粘布的蒸屉上，包子之间要留有一定的间隔，防止蒸制时粘连。将蒸屉放入蒸锅中，盖上锅盖，进行二次醒发，醒发时间20～30分钟，直至包子变得蓬松。

包包子

5. 蒸制

二次醒发结束后，开大火将水烧开，然后转中火蒸制15～20分钟。蒸制时间根据包子的大小和火力适当调整，蒸好后不要立即打开锅盖，焖3～5分钟再打开，防止包子遇冷回缩。焖好后，将包子从蒸锅中取出，美味的肉包子就制作完成了。

三、技术要点

1. 酵母活化与面团发酵

酵母水的温度要控制在手感微温（40℃左右），水温过高会杀死酵母，过低则酵母活性不足。

面团揉好后要放置在温暖的地方醒发，醒发时间和温度要适宜，以保证面团充分发酵。第一次醒发需充分；第二次醒发是关键，决定包子的松软度。

2. 肉馅调制技巧

搅拌肉馅时要让肉馅上劲，具体做法是：顺着一个方向持续搅拌，直至肉馅拉丝、回弹明显。这步操作会让肉馅更加紧实，口感更好。

加入色拉油可以增加肉馅的滋润度，锁住水分，让肉馅更加鲜嫩多汁。

调味时要根据个人口味适当调整盐、糖等调料的用量，确保肉馅味道鲜美。

3. 蒸制火候与时机

蒸制包子时要注意火候和时间的控制，大火烧开后转中火蒸制，以保证包子内部熟透且外皮松软。

蒸好后焖3～5分钟再打开锅盖，是为了让包子适应外界温度，防止遇冷回缩，保持包子的形状和口感。

6.3.3 水饺

一、食材和调料

高筋粉：500克。高筋粉蛋白质含量高，能使饺子皮具有较强的韧性和延展性，煮制后口感筋道。选择品质优良、无杂质、无异味的高筋粉。

凉水：约250～300毫升，用于和面。凉水和面可以使面筋网络逐渐形成，增加面团的韧性和弹性。水的用量可根据面粉的吸水性调整。

饺子馅：饺子馅的种类多种多样，如猪肉白菜馅、韭菜鸡蛋馅、牛肉洋葱馅等，可根据个人口味准备食材。

调料：盐适量、胡椒粉2～3克、葱适量、姜适量、料酒5～10毫升、生抽10～15毫升、老抽5～10毫升、香油10～15毫升。

二、制作流程

1. 和面

将500克高筋粉倒入盆中，加入大约5克盐，搅拌均匀。然后缓缓倒入250～300毫升凉水，边倒边用筷子搅拌，使面粉逐渐呈面絮状。当面粉大部分呈面絮状时，下手揉面，将面絮揉成一个粗糙的面团。揉面时要用力均匀，按照一定的方向揉，尽量使面团表面光滑。揉好的面团盖上微湿布，醒面约30分钟。醒面可以让面团中的面筋充分松弛，便于后续操作。

2. 调馅

以猪肉青菜馅为例。猪肉剁成糜，分次加入少量葱姜水，顺一个方向搅打至上劲，使肉馅饱含水分。青菜切碎后加盐杀水并挤干。将处理好的白菜与肉糜混合，加入盐、生抽、老抽、料酒、胡椒粉、香油等调料拌匀即可。

3. 擀皮

将醒好的面团放在面案上，揉搓面团，使面团表面光滑。将面团搓成长条，分成大小均匀的面剂，每个面剂15～20克。

将面剂用擀面杖擀成中间厚、边缘薄的圆形饺子皮，直径8～10厘米。擀皮时要注意力度均匀，使饺子皮薄厚一致。

4. 包制

取一张擀好的饺子皮，放在手心，放入适量饺子馅，将饺子皮对折，边缘捏合，然后从一端开始，用手指将边缘捏出褶皱，直至将饺子完全包好。

包好的饺子放在半成品盘上，注意饺子之间要留有一定的间隔，防止粘连。

放上馅后，将饺子皮对折

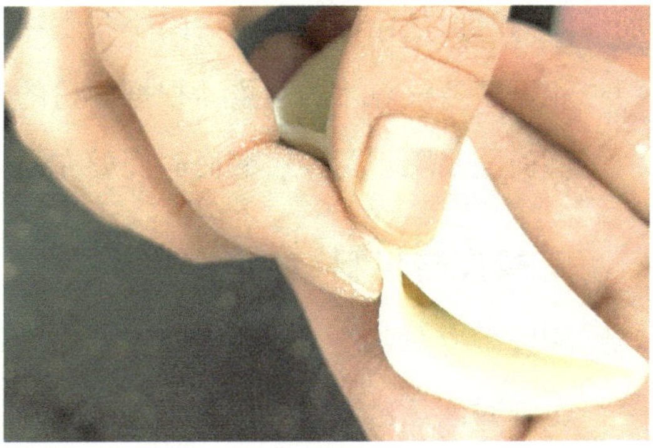

捏饺子

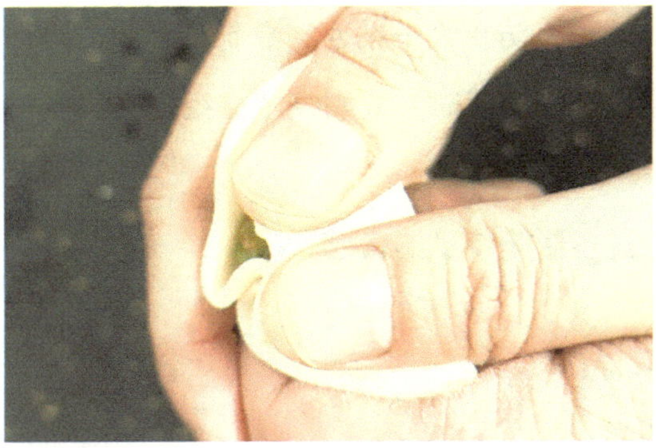

挤饺子

包好的饺子

5. 煮饺子

在锅中加入足量的水，开大火将水烧开。水开后，将包好的饺子逐个放入锅中。用漏勺背轻轻推动饺子，防止饺子粘连锅底。

放完饺子后，再次将水烧开，然后转中火煮制。中间可适当往锅中加两三次凉水。

煮制过程中要注意观察饺子的状态，当饺子浮在水面上，且饺子皮变得透明、饺子馅饱满时，说明饺子已经煮熟，整个过程需要5～8分钟。

煮好的饺子用漏勺捞出，沥干水分，即可享用。

三、技术要点

1. 和面与醒面

水饺面团要用凉水和面，凉水可以使面筋网络逐渐形成，增加面团的韧性和弹性。和面时加入适量盐（面粉重量的1%左右），能增强饺子皮的韧性和口感，使饺子皮更加筋道。同时，盐还可以抑制面团中微生物的生长，延长面团的保存时间。

和面时要注意水的用量，根据面粉的吸水性适当调整，使面团达到合适的软硬度。

醒面的步骤不可少。醒面时间要充足，以使面筋充分松弛，便于擀皮和包制。

2. 擀皮与包制

擀饺子皮时要注意擀得中间厚、边缘薄，便于包裹更多馅料。

包制时注意封口严密，防止煮破；馅料不宜过多，以免影响成型。

3. 煮饺子技巧

煮饺子时要加入足量的水，水开后再放入饺子，防止饺子粘连。煮制过程中要适时搅拌，使饺子受热均匀。当饺子浮在水面上且饺子皮透明时，说明饺子已经煮熟。

注意不要煮制时间过长，以免饺子皮破裂，影响口感。

煮好的饺子捞出后要沥干水分，避免水分过多影响饺子的口感。

6.3.4 炒饼丝

一、食材和调料

烙饼：2～3张（约300克），主料，提供碳水化合物。

猪肉：150克，提供蛋白质和风味。

鸡蛋：2个，增香增色，提升口感。

甘蓝：100克，提供纤维和清甜口感。

油菜：80克，增加绿色蔬菜的营养。

绿豆芽：50克，增添脆嫩口感。

色拉油：30～40毫升。

高汤（或清水）：50～100毫升。

调料：葱姜蒜适量，干辣椒1～2个（可选），花椒少许，生抽10～15毫升，盐3～5克。

二、制作流程

1. 食材处理

把烙饼、猪肉、甘蓝、油菜分别切成粗细均匀的丝状。

将葱、姜、蒜切成末。

将鸡蛋打入碗中，搅拌均匀，锅中倒入少许油，油热后倒入鸡蛋液，摊成薄饼，然后将摊好的鸡蛋饼切成丝，备用。

处理好的饼丝、肉和菜

摊鸡蛋

2. 炒制过程

在炒锅中倒入色拉油，开中火。当油温达到五六成热时，放入葱、姜、蒜末、干辣椒（可不用，根据个人口味选择）和花椒，爆香至香味四溢。接着加入切好的猪肉丝，用铲子快速翻炒，将猪肉丝炒至变色、微微卷曲。

再放入切好的甘蓝丝，继续翻炒2～3分钟，使甘蓝丝变软且与其他食材充分混合。

将豆芽切好的烙饼丝倒入锅中，与锅中的食材一起翻炒均匀。在翻炒过程中，要不断翻动，确保其受热均匀，避免出现局部焦煳的情况。

炒至肉丝变色、微微卷曲

不停翻动，确保食材受热均匀

3. 调味

向锅中加入生抽和盐，继续翻炒1～2分钟，使调料充分融入食材中，让炒饼丝的味道更加浓郁。

放入切好的油菜丝和鸡蛋丝，快速翻炒至油菜断生，保持其鲜嫩的口感。随后撒上蒜末，利用锅中余温激发蒜香。快速翻炒几下，让蒜香与其他食材的香味充分融合。

4. 收汁装盘

最后，用汤勺舀取50～100毫升高汤（或清水），均匀地淋在炒饼丝上。再次翻炒1～2分钟，让汤汁的鲜味充分融合到饼丝中。待汤汁稍微收干，即可关火，将炒饼丝盛出装盘。

三、技术要点

1. 食材处理规范

所有食材应切丝均匀，便于炒制和入味。烙饼最好选用隔夜饼，其水分少、口感筋道。

2. 炒制顺序要合理

爆香香辛料后，先炒肉类，之后炒硬质蔬菜，然后加入主食，最后加入软质蔬菜和易熟配料，是成功的关键。合理安排炒制顺序，能保证各类食材同步成熟，避免夹生或过老。

3. 控制火候与翻炒节奏

炒饼丝过程中要持续翻炒，避免食材粘锅或出现部分焦煳、部分食材未炒熟的情况。同时，注意根据食材状态调整火候，防止炒焦。

4. 调味与收汁技巧

高汤能显著提升风味，若无可用清水替代。收汁以饼丝湿润但无明显汤汁为宜，不宜过干，以免影响口感。

5. 蒜末的使用时机

出锅前放蒜末，既能保留蒜的辛辣香气，又不会因长时间炒制使蒜味散失或产生焦苦味。

6.3.5 皮蛋瘦肉粥

一、食材和调料

大米：150～200克，可选用东北大米、珍珠米等优质品种，这些大米煮出的粥口感软糯、香气浓郁。挑选时，要选颗粒饱满、无杂质、无霉变的。

瘦肉：100～150克，肉质鲜嫩、色泽红润、无异味的猪里脊肉或牛里脊肉均可，瘦肉能为粥增添丰富蛋白质与鲜美味道。

葱：1～2根，用于增添香味和装饰。选葱白部分多、葱叶翠绿、无黄叶的，切成葱花备用。

皮蛋：2～3个，皮蛋是这道粥的特色食材，能赋予粥独特风味。选外壳完整、无裂纹、蛋清凝固良好、蛋黄呈溏心状的，切成丁备用。

水：适量，用于煮制大米和食材。水用量通常是大米的10～12倍，即150～200克大米需1500～2400毫升水，可依个人对粥浓稠度的喜好适当调整。

调料：食用油50毫升，盐适量，白胡椒粉少许，料酒5毫升。

二、制作流程

1. 处理食材

将大米置于碗中，加足量水，浸泡半小时。浸泡大米可使其吸收水分，煮制时更易煮软煮烂，缩短煮制时间，还能让粥品更易变浓稠。

把瘦肉洗净，切成大小均匀的丁状，加料酒、少许盐、白胡椒粉和食用油抓匀，腌制15分钟。将皮蛋切丁、葱改刀成末，放一旁备用。

大米要提前浸泡

处理好的食材

2. 煮粥

在锅中加适量水（按大米量的10～12倍准备），开大火烧开。水开后，将浸泡好的大米沥干水分倒入锅中，搅拌一下，防止粘锅。

接着转中火，盖上锅盖，煮至大米呈现较软的状态，这一过程约需15～20分钟，其间要不时搅拌，观察煮制情况。

水开后下入大米

大米煮至较软时，倒入腌制好的瘦肉丁，用勺子搅拌均匀，让瘦肉丁在粥中均匀受热。继续煮5～7分钟，使瘦肉丁基本熟透。

随后倒入切好的皮蛋丁，再次搅拌均匀，煮3～5分钟，让皮蛋的味道充分融入粥中。煮制过程中要注意搅拌，防止食材粘锅。

大米煮软时下入瘦肉

瘦肉基本熟透下入皮蛋

3. 调味

待瘦肉丁熟透、皮蛋味道与粥充分融合、粥变得浓稠且香气四溢时，关火。依个人口味适量加盐调味（若瘦肉和皮蛋本身咸味足够，可不加盐），搅拌均匀。最后将煮好的皮蛋瘦肉粥盛出，撒上切好的葱花装饰并增添香味，即可享用。

依个人口味调味

三、技术要点

1. 提前泡米

大米提前浸泡是煮出好粥的关键步骤之一。浸泡能让大米吸收足够水分，煮制时米粒更易膨胀、破裂，使粥更浓稠，同时减少煮制时间、提高效率。浸泡时间以半小时左右为佳，时间过短，大米吸水不足，煮制效果差；时间过长，可能导致大米营养流失和变质。

2. 米水比

大米与水的体积比建议为1∶10～1∶12，水多了粥太稀，水少了粥太稠，都是不好的。米粒煮至开花、粥呈浓稠状态为佳。

3. 火候控制

煮大米先用大火将水烧开，再转中火煮制，这样能让大米快速受热，加速煮软过程。加入瘦肉丁和皮蛋丁后，也要根据食材特点和状态适当调整火候与时间，保证食材熟透且粥的浓稠度适中。

4. 瘦肉与皮蛋的处理

瘦肉应提前腌制去腥，煮至七成熟时加盐；瘦肉丁相较皮蛋丁需更长煮制时间才能熟透，所以先放瘦肉丁煮5～7分钟，待其基本熟透后再加入皮蛋丁煮3～5分钟即可，皮蛋煮制时间过长，营养成分会流失，口感也变差，煮3～5分钟能保证其独特风味和口感。煮制过程中要适时搅拌，确保食材受热均匀，避免部分食材未熟透或煮烂。

6.3.6 水煎包

一、食材和调料

中筋面粉：500克，具有筋力，适合制作发酵类面食。

酵母：5克，酵母作为发酵剂，可使面团蓬松。

温水：250～300毫升，手感稍温（约40℃），激活酵母，调节面团软硬度。

瘦肉：200克，提供鲜香口感。

葱姜末：适量，增香去腥。

色拉油：20～30毫升，煎制润滑与增香。

淀粉水：1汤匙淀粉和100毫升水配制。

黑芝麻：少许，增香点缀。

调料：盐、胡椒粉、生抽、老抽、香油各适量。

二、制作流程

1. 和面与发酵

在碗中加入5克酵母，缓缓倒入约40℃的温水搅拌，使酵母充分溶解在温水中。

取一个干净的盆，加入500克面粉。将溶解好的酵母水倒入面粉中，边倒边用筷子搅拌，使面粉逐渐呈絮状。下手揉面，将面团揉得软硬适中。揉好的面团用微湿的毛巾盖上，防止面团表面干燥。

将面团放在温暖的地方进行发酵，醒发温度30～35℃为宜，醒发时间1～1.5小时，直至面团体积膨胀到两倍大，内部呈现蜂窝状，面团就发酵好了。

2. 调馅

将瘦肉切成小丁，然后剁成泥状。把肉泥放入盛馅的盆中，加入适量盐、胡椒粉、葱花、姜末、生抽、老抽进行调味。

用筷子按照顺时针方向搅拌肉馅，搅拌过程中可加入适量香油，持续搅拌至上劲，即肉馅变得紧实、有弹性。

3. 擀皮

将发酵好的面团放在面案上，揉搓排气。将面团搓成长条，分成大小均匀的面剂。然后将面剂用擀面杖擀成中间厚、边缘薄的圆形面皮，直径8～10厘米。

4. 包制

取一张擀好的面皮，放在手心，放入适量肉馅，用手指捏合面皮边缘，将肉馅包好，收口捏成包子形状。

包好的包子放在蒸笼或案板上，用大盆或蒸布盖起来，二次发酵，让包子更加饱满。包子之间要留有一定的间隔，防止粘连。

包好的包子

5. 煎制

将锅（生煎锅或炒锅）预热，倒入少许色拉油，转动锅使油均匀分布在锅底。把二次发酵好的包子放入锅中，摆放均匀。

将配制好的淀粉水均匀淋入锅中，撒上少许黑芝麻，盖上锅盖。中小火加热10～15分钟，注意观察火候和锅中情况。当听到剧烈的“嗞嗞”声逐渐减弱，变得稀疏时，说明锅中的水快要收干了，可开盖撒入黑芝麻和葱花。继续煎至水分完全蒸发，包子的底皮开始变焦黄，这时关火。等待约1分钟后揭盖，将生煎包盛出。

包子底部煎黄后加入淀粉水

三、技术要点

1. 发酵控制

发酵时温度在30～35℃为宜，时间根据环境温度调整，一般1～2小时。若发酵不充分，成品不暄软；过度发酵则会使面团发酸，影响口感。可通过观察面团体积，膨胀一倍左右即为发酵成功。

2. 煎制技巧

水煎包煎制过程中要盖上锅盖，这样能让未接触油脂的部分通过蒸气加热熟透；锅中倒淀粉水，帮助形成“冰花”，提升口感。煎制过程中保持中小火，避免底部焦煳；听到“嗞嗞”声减弱、包子底部能滑动时，表示水分基本收干。

3. 成品处理

水煎包煎好后，可用锅铲轻轻铲起一个包子检查底部，呈金黄色且酥脆即可。

生活小贴士

霉变的粮食及油料作物不可食用，以免引起黄曲霉毒素中毒。

黄曲霉毒素是黄曲霉和寄生曲霉等真菌产生的次级代谢产物，是目前发现的毒性最强的一类霉菌毒素，长期摄入可导致肝脏损伤，增加患肝癌的风险。这类毒素主要污染玉米、花生、大米、豆油、菜籽油、核桃、杏仁、干辣椒等粮食及油料作物，严重威胁人类健康。

黄曲霉毒素的耐热性很强，在常规的烹调温度下不会被破坏，需达到280℃时才会发生裂解；它在水中溶解度低，易溶于油和一些有机溶剂中，所以，靠水清洗是很难除去该毒素的。

预防黄曲霉毒素中毒，我们要做到以下几点：

1. 选购安全食品

购买包装完好、来自正规渠道的商品，注意查看生产日期和保质期；尽量选择经过检测认证的产品。

2. 科学储存食物

干燥通风处存放粮食和坚果类食品，避免潮湿环境促使霉菌生长；储存时间不宜过长，应定期检查并及时处理变质食品。

3. 果断处理与清洁

发现发霉的食物应立即丢弃，不可仅切除发霉部分继续食用。

清洁厨房用具，尤其是接触油脂食材的器皿，防止交叉污染。

第7章

西餐知识

7.1　西餐的文化渊源

中西饮食交流可追溯至汉代。早在两千年前的汉代，通过“丝绸之路”，中国就与贸易伙伴如帕提亚帝国（古波斯地区），开始物质和文化交流了，其中包括各种香料和食材的交换，当时波斯及西亚的饮食文化已零星传入中国。13世纪马可·波罗游历中国时，也曾引入部分欧洲菜点技法，但未形成系统性影响。

西餐文化引入中国则是在明清时期，特别是随着外国使节和传教士的到来，西方饮食文化开始对中国产生影响。

明朝天启二年（1622年），德国传教士汤若望在北京用蜂蜜、面粉与鸡蛋（古称“蜜面和鸡卵”）烹制“西洋饼”招待官员，被视为西餐的早期实践。清代初期，宫廷与西方外交官交往增多，西餐偶尔出现在贵族餐桌，但未形成行业。

1840年鸦片战争之后，随着更多西方人的到来，他们不仅带来了新的思想和技术，也将西餐菜肴的制作方法介绍到了中国。清朝后期，在天津、北京和上海等城市，西方人开设了专门经营西餐的饭店，这标志着西餐在中国正式落地生根。至20世纪20年代，随着对外开放程度的加深，西餐在一些沿海城市获得了显著的发展。

改革开放后，中国的对外交往日益扩大，西餐市场也随之蓬勃发展，并呈现出多元化和国际化的趋势。为了满足消费者不断增长的需求，越来越多不同风格和特色的西餐厅在中国各大城市中涌现，从传统的法国菜、意大利菜到现代创意西餐，无不体现出西餐在中国的繁荣发展与深度融合。这一进程不仅丰富了中国的餐饮图景，也为中外文化交流搭建了重要的平台。

7.2　西餐礼仪

西餐礼仪是西方饮食文化的重要组成部分，本节将从餐具使用、用餐行为、餐桌环境三个方面详细讲解西餐的用餐礼仪。

一、餐具使用规范

（一）刀叉操作要领

1. 持握方法：右手持刀，左手持叉，叉齿朝下。拇指和中指握住刀叉柄，食指下压控制力度。

2. 切割食物：用叉子固定食物，刀刃轻推向前再用力拉回切割，避免发出刺耳声音。

3. 摆放信号：刀叉呈“八字形”摆放在餐盘内，叉齿朝下，刀口向内，表示用餐未结束。用餐完毕，刀口向内、叉齿向上，刀右叉左并排纵放，或刀上叉下并排横放在餐盘里。

（二）餐巾使用规范

1. 铺放：点菜后，将餐巾平铺于大腿，盖住膝盖以上部分，避免食物溅落弄脏衣物。

2. 擦拭：用餐巾轻拭嘴角，不可擦拭餐具或脸、汗。

3. 离席与结束：中途离席时，餐巾放在座椅上；用餐结束，将餐巾从中央提起，松散放置于餐盘左侧，不要刻意折叠或揉成团状。

二、用餐行为规范

（一）入座与离席

入座时，从椅子左侧入座，身体坐直，自然靠近桌边，可轻靠椅背以保持舒适与优雅。离席时，需向同桌的人打声招呼，将餐巾放在椅子上再走。

（二）进食礼仪

1. 咀嚼：闭嘴咀嚼，不发声，吞咽后方可开口交谈。若需吐出骨头或残渣等异物时，应以餐巾半掩口部轻声处理，不要直接吐在盘中或手中。

2. 坐姿要求：上身挺直，双膝自然并拢，双臂轻贴躯干，手肘距桌沿保持10～15厘米。禁止倚靠椅背或伏案进食，双手暂不使用时宜轻置大腿。

（三）食物处理

1. 面包食用法：徒手撕取或掰成一口大小的小块，放入自己的餐盘中。涂抹黄油时使用专用餐刀，每次取一块面包，临吃前再涂抹适量黄油，避免一次性涂满整块面包。不要在公共面包篮中直接涂抹黄油，应先将面包转移至个人餐盘后再进行操作。

2. 主菜分割标准：将肉类切割成大小适宜，可一口食用的块状。鱼类沿骨缝拆解，保持餐盘整洁。

三、餐桌环境与个人物品

1. 物品摆放准则：所有与用餐无关的物品，如手机、钥匙、外套、手提包、文件夹等不要放在餐桌上。餐具使用后按原位归置，汤匙凹面朝上置于垫盘。

2. 特殊物品处理：女士手包置于椅背与腰际间，男士礼帽悬挂于衣帽架或平放于膝部。

掌握西餐礼仪不仅有助于提升个人形象，更能在跨文化交流和正式社交场合中展现出教养与风度。通过不断练习和实践，这些礼仪将成为我们自然的行为习惯，从而在各类正式用餐场合中从容应对、游刃有余。

7.3 西餐常用餐具

西餐中，餐具种类繁多、功能各异，正确识别和使用各种餐具是掌握西餐礼仪的重要基础。不同场合和菜品会配备相应的专用餐具，以体现用餐的精致与规范。

西餐常用的餐具根据用餐过程的不同阶段和菜品的种类会有所变化，但通常包括以下几种基本类型：

一、餐刀

餐刀用于切割食物，其常见类型及用途有：

1.牛排刀：用于切割肉类，尤其是牛排，其刀刃通常带有锯齿，便于切肉。

2.主餐刀：用于切割主菜中的各类食物，是最常见的正餐用刀，一般放在餐盘右侧。

3.甜品刀：用于食用甜点或水果，通常尺寸较小，刀刃较钝。

注意：使用餐刀时应避免用力过猛或发出刮盘声，保持优雅的切割动作。

二、餐叉

餐叉用于固定或取食食物。其常见类型及用途有：

1.主餐叉：用于配合主餐刀进食主菜，通常是最大且最常使用的叉子。

2.甜品叉：用于食用甜点，形状较小，有时柄部较短。

3.沙拉叉：略大于甜品叉，用于吃沙拉或其他冷盘。

4.鱼叉：用于搭配鱼类菜肴，齿距较宽，以便夹起鱼肉而不带刺。

三、餐勺

餐勺用于舀取液体或半固体食物，其常见类型及用途有：

1.主餐勺（餐匙）：用于吃主菜中的汤类或配菜，如浓汤、炖菜等。

2.汤勺：专门用于喝汤，通常比主餐勺稍大一些，边缘圆润。

3.茶匙（咖啡匙）：用于搅拌茶或咖啡，尺寸很小，不可用于饮用汤类。茶匙不能用来喝汤或舀取甜品，仅限于饮品搅拌。

四、黄油刀

黄油刀用于将黄油涂抹在面包上，一般摆放在面包盘或黄油碟旁边。不同于普通餐刀，黄油刀通常没有锋利的刀刃，适合轻轻涂抹而非切割。

五、玻璃器皿

玻璃器皿包括水杯、红酒杯、白酒杯等，根据所饮用的酒类或饮料选择合适的杯子。这些通常置于餐盘右前方。

六、其他特殊餐具

西餐中还有许多根据特定食物设计的专用餐具，适用于正式宴会或特色餐厅。例如：生蚝叉、蜗牛叉、奶酪刀、蛋糕铲等。

此外，服务勺和服务叉为公用餐具，用于从共享菜肴中取食，使用时应避免直接接触口唇。

在正式西餐中，餐具的摆放位置有严格规定，遵循“由外向内”原则依次使用。即：最外侧的餐具最先使用；接近餐盘的餐具最后使用。例如：最外侧可能是沙拉刀叉；中间为主餐刀叉；最内侧为甜品勺。

生活小贴士

如何判断餐具用途?

1. 观察大小与顺序：餐具通常按使用顺序从外向内摆放。主餐刀叉体积最大，开胃菜、鱼或甜品餐具依次向内，且尺寸可能更小。

2. 结合菜品判断：看到鱼形图案或海鲜类菜品时，可选用鱼刀、鱼叉。

3. 跟随主人的使用方式：在不确定的情况下，可以观察主人或服务员的示范。

7.4 几种西餐的制作方法

7.4.1 烤牛排

一、所需用具和食材

用具：

煎锅（或铸铁锅）、锅铲、刀具与砧板、西餐夹、烤架或其他菜品盛装容器。

食材：

牛排（推荐部位如西冷、菲力、眼肉等）、黄油、黑胡椒、海盐、迷迭香（可选）。

二、制作流程

1. 预处理牛排

将牛排从冷藏中取出，室温下静置约30分钟，使其回温。随后用厨房纸巾仔细吸干牛排表面的水分。

2. 腌制调味

在牛排两面均匀撒上海盐和黑胡椒。可根据个人口味加入少量迷迭香提香。

3. 预热煎锅

将煎锅置于炉灶上，加热至高温（锅体明显冒烟）。

4. 初步煎制定型

将牛排放入锅中，根据所需熟度煎制不同时间：三分熟，每面约煎1.5分钟；五分熟，每面约煎2～3分钟；全熟，每面约煎4分钟以上。

煎制过程中加入黄油和迷迭香。用西餐夹将牛排翻面，并用勺子将锅中溶化的黄油舀起，浇淋在牛排表面以增加香气。

初步煎制定型

煎好的牛排

5. 静置牛排

煎好后将牛排取出，放在烤架或案板上静置5～10分钟，这样有助于肉汁重新分布，提升口感。

6. 二次烘烤（可选）

若使用厚切牛排，可在煎制后放入预热好的烤箱中（温度约180℃）继续烘烤5～8分钟，确保内部熟透。

7. 切片摆盘

根据需要将牛排切成适当大小的片状或条状，整齐摆放于成品木板或其他餐具中。可搭配酱汁、配菜（如烤蔬菜、土豆泥等）一同上桌。

三、技术要点

1. 高温快煎

全程保持高温，以快速锁住肉汁，形成风味层。

2. 静置不可省略

牛排煎好后必须静置一段时间，使肉质松弛、汁水回流，提升整体嫩度与口感。

3. 合理选择成熟度

根据个人口感和习惯掌握煎制时间，不同成熟度对应不同口感与颜色变化。

4. 黄油后下

黄油应在煎制中后期放入，通过浇淋为肉增香，避免烧焦。

5. 刀工要求

切片时应逆着肉的纹理切割，以保证咀嚼时的柔嫩感。

生活小贴士

1. 牛排选用新鲜、质地紧实的部位为佳，厚度建议在2厘米以上。

2. 牛排可搭配红酒、蒜香黄油、黑椒汁等经典酱料丰富风味。

3. 牛排的配菜宜选用简单的烹饪方式，如烤制或炒制，突出主菜地位。

7.4.2 意式肉酱面

一、所需用具和食材

用具：

煮锅、炒锅、锅铲、长木筷或搅拌勺、刀具与砧板、漏勺、成品容器（如餐盘或意面盘）。

食材：

意大利面条（推荐直面）150克，番茄2个（约300克），洋葱半个，牛肉或牛肉末100克，黄油10克，番茄酱2汤匙，盐适量，黑胡椒粉少许。

二、制作流程

1. 预处理食材

将番茄放入沸水中焯烫约30秒至表皮裂开，捞出后迅速放入冷水中冷却，撕去外皮，切成小丁。洋葱去皮洗净，切成细丁。牛肉剁成肉末（或选用现成牛肉末），备用。

2. 煮制意大利面

在煮锅中加入足量清水，水沸后加入1茶匙盐，放入意大利面，按包装建议时间煮熟（一般为8～10分钟）。面条煮好后，用漏勺捞出，过冷水冲洗去除表面淀粉，沥干水分备用。

3. 炒制牛肉末

炒锅加热后放入黄油，待其溶化后转中小火，加入牛肉末翻炒至水分基本蒸发，肉质呈干松状，盛出备用。

4. 炒制蔬菜及熬煮肉酱

继续使用原锅，加入洋葱丁炒香至透明，再加入番茄丁翻炒至变软出汁。加入番茄酱继续翻炒均匀，随后加入少量清水（约50毫升），小火炖煮5分钟左右，使番茄充分软化并释放风味。最后加入炒好的牛肉末，调入适量盐和少许黑胡椒粉，翻炒均匀，制成浓郁的肉酱。

黄油炒牛肉末

熬煮肉酱

5. 拌面装盘

将煮好的意大利面倒入炒锅中，与肉酱一起翻拌均匀，使每根面条都裹上酱汁。装盘后可根据个人喜好撒上奶酪碎或新鲜罗勒叶等装饰增香。

三、技术要点

1. 番茄去皮技巧

运用热水焯烫法可快速去皮，同时保留番茄的新鲜口感和色泽。

2. 牛肉末的炒制是关键

牛肉末需炒至水分完全蒸发，使肉香味更浓，避免酱汁过于稀薄。

3. 调味层次控制

盐应在最后阶段添加，避免过早加盐影响肉质嫩度；黑胡椒用于提香，不宜过多。

4. 面条控水处理

面条煮好后应充分沥干，避免残留水分稀释酱汁。

5. 拌面技巧

拌面时火候不宜过大，保持中小火，使酱汁更好地包裹在面条上。

生活小贴士

1.肉酱面中可加入胡萝卜丁、芹菜丁等蔬菜丰富营养与口感。

2.使用橄榄油代替黄油，可使风味更具地中海特色。

3.若酱汁偏稠，可适当加入少量煮面水调整浓稠度。

4.意式正宗做法中，肉酱通常慢炖1小时以上以提升风味，家庭操作可简化步骤，但仍建议炖煮不少于10分钟。

第8章

平衡膳食

在生活日益富足的今天，人们对饮食的追求已从单纯的美味享受转向兼顾营养与健康。科学调配膳食是实现营养均衡的核心环节。对于普通健康成人而言，无需特殊饮食干预，只需通过合理膳食，即可维持健康状态。

平衡膳食（又称均衡膳食）是指在一段时间内，膳食中食物的种类组成及比例搭配，能够最大限度地满足不同年龄、不同能量消耗水平的健康人群在营养和健康方面的需求。

《中国居民膳食指南（2022）》中的“中国居民平衡膳食宝塔”，以直观形象的方式展示了平衡膳食的搭配方法。膳食宝塔共分为五层，涵盖了人们每日所需的主要食物类别。各层的位置和面积差异，在一定程度上反映了各类食物在膳食中的地位以及应占的比重。此宝塔适用于一般健康成人，在实际应用时需根据个人年龄、性别、身高、体重、劳动强度以及季节变化等情况进行适当调整。

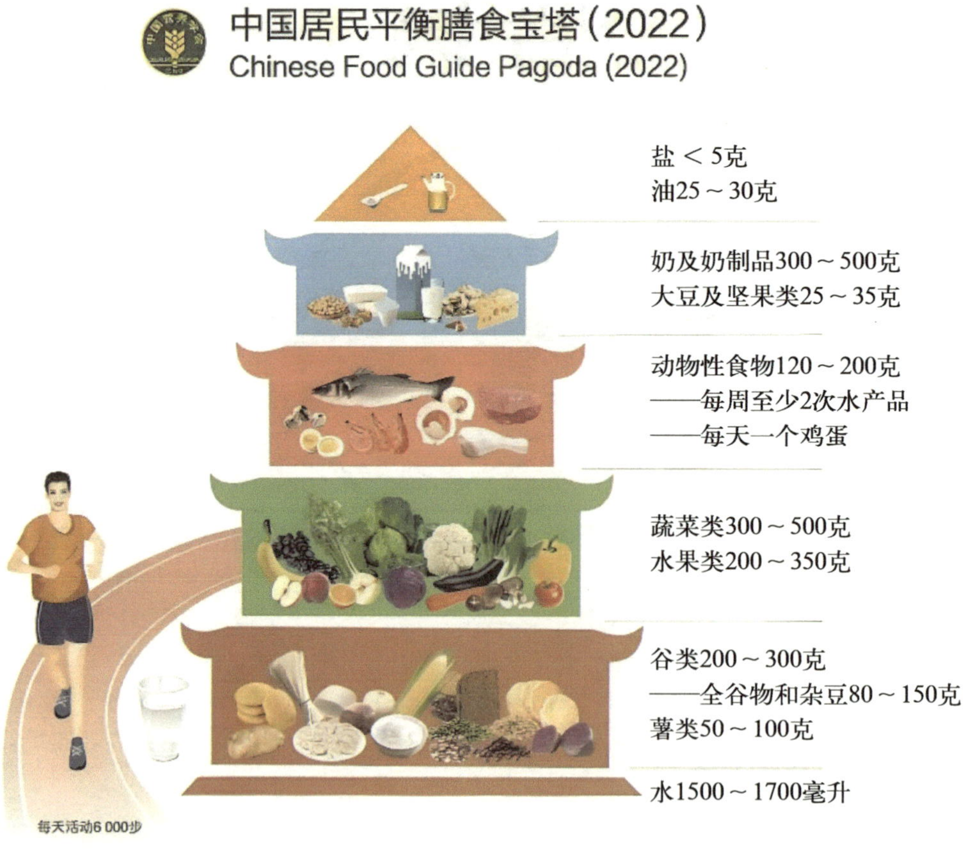

图片来源：中国居民膳食指南（2022）

8.1 保证每日食物多样化

《中国居民膳食指南（2022）》强调，平衡膳食的首要原则是食物多样化。食物多样化是指一日三餐中食物种类齐全、品种丰富，是构建平衡膳食的基础。多样化的膳食应包含以下五大类食物：

第一类：谷薯类（含谷类、全谷物、薯类及杂豆）；

第二类：蔬菜和水果；

第三类：动物性食物（畜肉、禽肉、鱼、蛋等）；

第四类：奶类、豆类及坚果；

第五类：烹调油和食盐（需格外注意控制摄入量，每日≤5克）。

只有一日三餐的食物种类多样，才有可能实现平衡膳食。按照一日三餐分配食物品种数，早餐至少摄入3～4种，午餐摄入4～6种，晚餐摄入4～5种，再加上零食1～2种，从而达到人体对于碳水、蛋白质、脂肪以及微量元素的需求。

保证食物多样化的方法

1. 小份多样，总量均衡

选择“小份”食物是实现多样化的关键。所谓“小份”就是每样食物少吃点，摄入同等能量时，就需要多吃几种。

2. 同类互换，丰富选择

每类食物均包含很多品种，可以经常变换品种，既能保证营养，又可避免单调，丰富餐食，提升口感与风味。例如：

主食类：米饭、面条、小米粥、全麦馒头、杂粮饭等，可以互换。

薯类：红薯、马铃薯等，可以互换。

肉类：猪肉、鸡肉、鸭肉、牛肉、羊肉等，可以互换。

水产品：鱼、虾、蟹、贝类等，可以互换。

奶制品：牛奶、酸奶、奶酪等，可以互换。

3. 巧妙搭配，提升营养

主食粗细搭配。烹调主食时，在精米白面中搭配全谷物（如燕麦、小米、荞麦、玉米等）和杂豆（如红小豆、绿豆、芸豆等）。例如：二米饭、绿豆饭、红豆饭、八宝粥等。

副食荤素搭配。“荤”（动物性食物）与“素”（植物性食物）搭配烹调，有肉有菜，既可改善菜肴色香味，又能提供更全面的营养。

颜色深浅搭配。搭配不同颜色的食材（如深绿色菠菜、橙色胡萝卜、紫色甘蓝等），丰富的色彩可刺激食欲，同时体现植物化学物及营养素的多样性，有助于实现食物多样化。

8.2　保证每餐摄入谷类食物

谷类在膳食结构中具有重要地位，应保证一日三餐均摄入足量谷类食物。可选用不同种类的谷物，采用多样化的加工方法，制作风味各异的谷类食物。例如：大米可制作米饭、米粥、米粉、米糕等；小麦可制作馒头、面条、烙饼、饺子、馄饨、包子等；其他杂粮（如小米、高粱米）亦可加工成米或磨成粉后，掺入大米或面粉中，制作各类中式点心。

当前人们的膳食中，普遍存在精制米面摄入过多、粗粮摄入不足的现象，不利于健康。因此，《中国居民膳食指南（2022）》建议，全谷物或杂豆摄入量应占每日谷类食物总量的四分之一到三分之一，并保证一日三餐中至少一餐包含全谷物或杂豆。

全谷物的烹调和搭配技巧

一、全谷物的营养价值

全谷物是指经过清理但未经进一步加工，保留了完整颖果结构的谷物籽粒；或虽经研磨、粉碎等方式加工，但皮层、胚乳、胚芽的相对比例仍与完整颖果保持一致的谷物制品。相较于精制谷物，全谷物可保留更多B族维生素、矿物质、膳食纤维等营养素。

二、全谷物的种类

常见全谷物包括：小米、大黄米、糙米（如黑米、紫米等）、小麦粒、大麦粒、黑麦粒、荞麦粒及其加工制品（如燕麦片、全麦粉等）。

某些非谷类食物，例如红小豆、绿豆、芸豆、干豌豆、干蚕豆等，也可整粒或粗加工后作为主食，部分替代精制米面，其健康益处与全谷物相似甚至更佳。另外，像莲子、芡实、薏米等药食同源食物，其营养价值与全谷物相近，也可少量加入主食。

三、全谷物的搭配方法

1. 混合烹调。制作食物时，可以将全谷物直接掺入精制米面中。例如：煮白米饭时加入小米或藜麦；制作煎饼时掺入绿豆粉或全麦粉；煮白米粥时加入燕麦；打豆浆时加入黑米等。

2. 餐食搭配，融入三餐。食用精制米面时可搭配全谷物。例如：早餐用五谷豆浆（黄豆+燕麦+小米等）替代白米粥；午餐以蒸玉米或蒸红薯代替部分米饭；晚上吃一碗杂粮粥（如红小豆、黑米、莲子、白米等混合煮成的粥），相应减少馒头等精制主食的摄入量。此举不仅增加食物多样性，提升口感，同时更符合营养需求。

8.3 保证足量的蔬菜和水果

蔬菜和水果是维生素、矿物质、膳食纤维和植物化学物的重要来源，对提高膳食微量营养素和植物化学物的摄入量起到关键作用，是构成平衡膳食的关键组成部分。

一、健康吃蔬菜的方式

1. 保证摄入量和频率

建议成人每日蔬菜摄入量不少于300克。为实现这一目标，应确保餐餐有蔬菜，每餐食物中蔬菜的重量大约占一半。建议午餐和晚餐应各有至少150克蔬菜，且每餐至少有一道菜肴以蔬菜为主。蔬菜生吃和熟吃各有益处，可以直接选择适合生食的蔬菜（如西红柿、黄瓜、生菜、胡萝卜等）制作凉拌菜或作为餐间零食。

2. 丰富每日蔬菜种类

蔬菜种类繁多，包括叶菜类、根茎类、鲜豆类、茄果瓜菜类、葱蒜类、菌藻类等，不同种类蔬菜的营养价值各具特点。建议每日搭配多种蔬菜，优先选择来自不同类别的品种。

3. 优先选择新鲜蔬菜

蔬菜采收后营养价值会随时间推移而逐渐下降。储存温度高会加速维生素分解，冷藏虽可延缓降解，但无法完全阻止。因此，应选购新鲜度高的蔬菜。新鲜绿叶蔬菜购买后需冷藏并尽快食用。土豆、胡萝卜等耐储蔬菜也不宜久存。腌菜、咸菜和干菜虽保留了矿物质和膳食纤维，但在腌制或干燥过程中维生素和抗氧化成分损失严重，不能替代新鲜蔬菜。

二、合理烹饪蔬菜保持营养

除了蔬菜本身，蔬菜的营养还受加工方法影响，因此，应根据蔬菜特性选择适宜的加工处理和烹调方法。

1. 先洗后切

蔬菜要先洗后切。若切后再洗，水溶性维生素和矿物质易从切口处大量流失。清洗时宜用流水冲洗，避免长时间浸泡。切菜时不宜切太碎，以防营养流失。

2. 开汤下菜

水溶性维生素（如维生素C、B族维生素等）对热敏感。沸水能破坏蔬菜中的氧化酶，减少其对维生素C的氧化分解；同时，水溶性维生素对热敏感，加热过程会加速水溶性维生素的损失。因此，宜在水沸腾后再放入蔬菜，以更好地保留营养。

3. 旺火快炒

热力越高、速度越快、时间越短，蔬菜中维生素的损失就越小。但有些豆类，如四季豆，含有皂素等有毒物质，需要确保烧熟煮透方可食用。

4. 即炒即食

烹调好的蔬菜应尽快食用，避免反复加热。因为营养素会随存放时间延长而损失，同时，细菌作用会使硝酸盐转化为亚硝酸盐，增加潜在食品安全风险。

三、健康吃水果的方式

1. 每日摄入适量水果

《中国居民膳食指南（2022）》建议，每天摄入200～350克新鲜水果。需注意的是，水果中富含果糖、葡萄糖等天然糖分，水果摄入并非越多越好。过量食用可能增加患糖尿病和肥胖的风险，也会影响其他食物的摄入。

2. 选择多样化的新鲜水果

应优先选择应季新鲜水果，保证种类丰富。从营养价值角度考虑，与蔬菜类似、颜色深浓的水果通常优于颜色浅淡的水果。例如：紫黑色樱桃的花青素含量高于红色樱桃，而红色樱桃的花青素含量又高于黄色樱桃。紫黑色、紫红色葡萄所含的抗氧化物质，通常高于绿色、白色等浅色品种。因此，建议经常交替食用不同颜色的水果，以获取更全面的营养。

3. 果汁不能替代水果

新鲜水果供应受限时，可选择适量含糖量较低的水果干或纯果汁作为补充，但果汁无法完全替代新鲜水果。原因在于榨汁过程中，水果中的大部分膳食纤维及其中含有的钙、镁等矿物质会随果渣被丢弃；此外，完整水果细胞结构能有效保护其内含营养素，而榨汁后，维生素C等营养素因暴露于氧气和氧化酶，易发生损失。因此，即便是鲜榨果汁，其营养价值也无法等同于新鲜水果。

4. 蔬菜与水果不可相互替代

蔬菜和水果在膳食宝塔中处于同一层，但各具营养优势，不可相互替代。部分人认为水果优于蔬菜，仅重视水果摄入而忽略蔬菜，或者认为水果比蔬菜更好吃，而多吃水果替代蔬菜，这种做法并不科学。实际上，大多数常见水果的营养价值（尤其是维生素、矿物质和膳食纤维含量）不及深色绿叶蔬菜，且其含糖量通常更高。

8.4 适量摄入鱼、禽、蛋、瘦肉等

鱼、禽、蛋及畜类瘦肉富含优质蛋白质、矿物质和维生素，具有味道鲜美、消化吸收率高、饱腹感强等优点，对增强体质和预防疾病具有积极作用。然而，尽管深受人们喜爱，这些食物并非摄入越多越好。随着生活水平的提高，过量食用这些食物可能带来健康风险，因此需适量摄入，避免过量。

1. 控制总量，均匀分配

《中国居民膳食指南（2022）》建议成人每周水产品和畜禽肉摄入总量不超过1.1千克，相当于每周摄入水产品300～500克，畜禽肉300～500克，蛋类300～350克。建议将这些食物均匀分配至每日各餐，避免集中食用。理想状态下，应做到每餐含适量肉类、每日摄入适量鸡蛋，以稳定提供优质蛋白质，满足身体需求。

2. 小份烹调，量化摄入

烹调肉类时，宜将大块食材切成小块，如肉丝，便于控制单次摄入量，减少大块肉类的烹制，如整块红烧肉、整个鸡腿等，避免一次摄入量过多。

3. 在外就餐时控制荤食量

在外就餐时，人们常不自觉地增加肉类食物摄入量。因此，外出就餐时应注重荤素搭配、口味清淡，并尽量选择鱼类或豆制品替代禽畜肉类。

合理烹调肉类

肉类是膳食中蛋白质和脂肪的重要来源。其营养成分的保留程度主要取决于储存、解冻、新鲜度鉴别以及烹调方式。尤其需要注意的是，熏制、明火烤制或油炸等高温烹饪方式容易产生微量致癌物（如多环芳烃、杂环胺等），因此应尽可能避免。合理烹调肉类需注意以下要点：

1. 优选烹调方式

优先采用蒸、煮、炖、烤箱烤等无需额外添加烹调油的方法制作加工，最大程度保留其营养成分，避免因明火等热力导致的不良因素产生。畜禽肉在滑炒或爆炒前可挂糊上浆，从而起到保护食材营养和水分、提升口感的作用。

2. 搭配高纤维食物

烹调肉类时，可与低脂、高纤维食材同烹，如菌菇、藻类、新鲜或干制蔬菜等，降低肉类食材的油腻感，提升辅料的口感，并均衡营养。

3. 改良肉糜制品

制作肉丸、肉馅时，可添加土豆泥、海带碎、洋葱碎等，提高成品的营养价值。

8.5 保证奶类、大豆及坚果的摄入

奶类和大豆制品均富含优质蛋白质，是日常膳食的重要组成部分。奶类营养丰富，易于消化吸收。大豆中蛋白质含量为22%～37%，必需的氨基酸的组成和比例与动物蛋白相似，而且富含谷类蛋白中缺乏的赖氨酸，是与谷类蛋白质互补的理想食品。坚果类食物富含人体必需脂肪酸、维生素E和膳食纤维，既可作为菜肴配料，又可作为零食，是增加食物多样性的良好选择。

1. 选择多样化的奶制品

奶制品形态多样，包括液态奶、酸奶、奶酪、奶粉等，其风味各异，蛋白质含量不同。增加奶制品种类有助于丰富膳食多样性。但需要注意，含乳饮料、乳酸菌饮料等不属于奶制品范畴。

2. 增加大豆及其制品的摄入

大豆制品种类丰富，如豆腐、豆腐脑、豆腐干、豆腐丝等，建议每周轮换食用，既可变换口味，又能满足营养需求。另外，豆浆机已经走进千家万户，家庭自制豆浆也是日常增加豆制品摄入的重要方式。

3. 适量食用坚果

常见的坚果有核桃、杏仁、榛子、开心果、松子、花生、葵花子、南瓜子等，可作为日常零食，也可以作为烹饪的辅料，加入正餐菜肴中，比如腰果虾仁等，也可以和大豆、杂粮等一起做成五谷杂粮粥，与主食类食物一起搭配食用。建议每周坚果仁摄入量为50～70克（日均约10克）。坚果能量及脂肪含量较高，如果摄入过多，应减少烹饪油和其他高脂肪食物的摄入量。

8.6 控制食盐与烹调油的摄入

当前，高盐高油饮食对健康的危害日益凸显。因此，需强化健康意识，在追求美味的同时兼顾健康，逐步调整烹饪和饮食，减少食盐、烹调油等调味品的使用，养成清淡饮食的习惯，每人每日食盐摄入量不超过5克，烹调油摄入量控制在30克以内。

一、减少食盐摄入的方法

1. 选用新鲜食材与风味替代

烹调时保留食材天然风味，可减少额外添加食盐的需求。利用不同味道，如酸味，或天然香辛料，比如花椒、八角、辣椒、葱、姜、蒜等调味，有助于减少对咸味的依赖。

2. 菜品出锅前加盐

咸味感知主要依赖食物表面的钠离子来刺激味蕾。菜肴出锅前加入少量盐或酱油，虽然盐分尚未深入食材内部，仍能产生明显的咸味。此方法可在保证咸味感受的前提下减少食盐用量。

3. 使用增鲜调料需先减盐

味精、鸡精、浓汤宝等增鲜调料，以及酱油、蚝油、咸味酱等均含钠。使用这些调料时，需相应减少食盐添加量。建议先添加一小部分盐，然后酌情加入增鲜调料，再根据情况决定是否再加盐，从而避免盐分总量超标。

4. 加含盐配料时需调减盐量

甜面酱、豆瓣酱、豆豉、虾皮、火腿、榨菜、咸鸭蛋等配料本身含盐量高。烹调中使用此类配料后，应暂缓加盐，出锅前尝味后再决定是否补盐及补盐量。

5. 善用食材本味清淡烹调

蒸南瓜、蒸红薯、生黄瓜、番茄等食物本身风味良好，无需加盐或稍加盐即可食用，搭配浓味菜肴可降低整餐的盐摄入。清蒸或白灼的海鲜、鲜鱼等，仅需醋、料酒、少量酱油等蘸食即可体现鲜美。

6. 选用低钠盐

低钠盐以部分氯化钾（约25% ~ 30%）替代氯化钠，可在基本不影响咸味感知的情况下减少约25%的钠摄入，同时增加钾的摄入量。

二、减少烹调油摄入的方法

1. 科学选择食用油

了解食用油等级。按国家标准，食用油等级（一级至四级）反映精炼程度，等级越高精炼程度越高。但精炼在去除杂质的同时，也会损失部分维生素E、胡萝卜素等营养素，故等级高不等于营养价值高。

按烹饪方式选择食用油。饱和脂肪酸含量高的油脂（如棕榈油、椰子油等）耐热性好，适合煎、炸等；大豆油、玉米油、葵花籽油等不耐高温，反复加热易氧化，更适合炖、煮、快炒等。

定期更换食用油种类。多样化选择食用油有助于实现脂肪酸与营养素的均衡摄入，因此购买时可以买小桶食用油，短期内用完之后换成另一种。

2. 采用低油烹饪方式

优先选择蒸、煮、炖、焖、水滑、熘、凉拌等用油量少的烹调方法。避免过多使用煎炸，尤其对于像鸡蛋等易吸油的食材。同时，可以试验减少放油量，观察是否影响菜品的味道，从而减少放油量。

3. 限制油炸食品摄入

油炸食品虽口感酥脆、香味诱人，但易导致食用油过量摄入。其高脂肪、高能量特性易造成能量过剩；此外，反复高温油炸还可能产生有害健康的物质，故应尽量减少油炸食品的食用。

第9章

饮食安全

民以食为天，食以安为先。饮食安全是保障身体健康的前提，贯穿于日常饮食的各个环节，从食材的生产、采购到储存，从食品的处理加工到厨房环境，每个环节都可能存在不安全因素，都需要严谨对待。

9.1 科学选购食物

选购食物是饮食安全的第一道防线，需要综合考虑营养、新鲜度、卫生等多方面因素。在兼顾个人口味偏好与经济条件的前提下，掌握科学的选购方法，才能做出明智的消费决策，为健康饮食打下良好基础。

1. 理解食物营养素密度

食物的能量密度与其水分含量及蛋白质、脂肪、碳水化合物这三大宏量营养素的构成密切相关。通常，水分含量高的蔬菜（如叶菜、瓜茄类）能量密度较低。

营养素密度高的食物，指的是在单位能量中，所含的维生素、矿物质（钠除外）、膳食纤维、植物化学物质或必需脂肪酸等有益营养素丰富，同时脂肪、添加糖及总能量相对较低。例如：新鲜、色彩丰富的水果蔬菜、瘦肉、鸡蛋、全谷物等。这类食物能在提供必要营养的同时，避免摄入过多能量。

2. 学会看食品营养标签

选购预包装食品时，学会阅读食品标签是了解食品信息的关键，有助于我们选择更健康的食品。

（1）查看配料表

配料表是了解食品真实成分构成的最重要依据，清晰列出了制作该食品所用的所有原料、辅料和食品添加剂。按照相关法规要求，配料按添加量由多到少依次排列，含量最多的原料排在第一位。通过配料表，我们可以清晰了解食品的原料构成及其比例关系，避免过多添加糖、盐、反式脂肪酸等不利于健康的成分。

（2）解读营养成分表

营养成分表通常采用三栏格式（项目、含量、营养素参考值百分比NRV%），标示每100克（或100毫升）食品提供的能量值，以及蛋白质、脂肪、饱和脂肪、碳水化合物、糖、钠等核心营养素的含量及其占每日推荐摄入量（NRV）的百分比。通过NRV%，我们可以快速了解该食品中某种营养素对每日需求的贡献程度，从而合理控制摄入量。

（3）利用营养声称辅助选择

营养声称是对食品中特定营养素含量水平（高、低、有、无）或与同类产品比较优势（如“增加膳食纤维”“减盐”）的说明。其中，含量声称，如“高钙”“低脂”“无糖”等，需符合国家规定的含量标准才能标注；比较声称，如“增加30%膳食纤维含量”“减少25%钠含量”等。合理利用这些声称有助于快速筛选符合特定营养需求的食品，但需注意不能过度依赖，仍需结合配料表和营养成分表综合判断。

3. 掌握辨别食物新鲜度的技巧

新鲜食物是指未经过长期储存或深度加工的食物，比如刚收获不久的粮食，新采摘的蔬菜和水果，刚宰杀不久的禽畜肉，其营养成分保留更完整，安全性也更高。学会辨别和采购新鲜、卫生的食物，是保障饮食安全与营养的关键。

（1）在条件允许的情况下，首选本地当季食材

本地生产、当季采收的食物，减少了运输和储存的时间，能最大程度保证其新鲜度和营养价值。因此条件允许的情况下，应首选本地生产的当季食物。

（2）掌握辨别食物新鲜度的技巧

对于预包装食品，要注意查看食品标签上的生产日期、保质期、生产单位等包装标注是否清楚，是否过期，是否有食品生产许可证编号（SC编号），包装表面是否整齐光洁，有无破损。确保在保质期内食用，且尽量选择生产日期较近的产品。

对于散装食品，要注意盛放食品容器的显著位置或隔离罩上是否有标签标注，并且标签标注要齐全、规范，真实标注了生产日期和保质期，并有防尘设施。

对于生鲜食物，需通过感官指标（看、触、闻）综合判断：

肉类：新鲜的肉类肌肉有光泽，红色均匀；脂肪洁白（牛、羊肉可为淡黄）；外表微干或微湿润，不粘手；指压后凹陷能立即恢复；具有该种肉类特有的正常气味。不新鲜的肉类肌肉无光泽，脂肪发灰甚至变绿；外表极度干燥或发黏；指压后凹陷不能复原，留有明显压痕；可能有酸败味或腐臭味。

蛋类：鲜蛋的蛋壳坚固、完整、清洁，常有一层白霜（粉状物），手感发涩、有压手感；灯光透视可见蛋内容物呈微红色，透亮均匀。不新鲜的蛋类蛋壳呈灰暗色、有斑点或裂纹；手感轻飘，摇晃可能有晃动感；灯光透视时可见不透光或有灰褐色阴影；打开后常见蛋黄散开（散黄）或黏附在蛋壳上（黏壳）。

鱼类：新鲜的鱼类体表有光泽，鳞片完整、紧贴不易脱落；眼球饱满凸出，角膜透明清亮；鳃丝清晰呈鲜红色，黏液透明；肌肉坚实有弹性，手指按压后凹陷立即消失；腹部正常不膨胀，肛孔白色、内陷。不新鲜的鱼类体表颜色暗淡（发黄或发红），鳞片易脱落；眼球平坦或凹陷，角膜浑浊；鳃丝粘连呈暗红或褐色，黏液浑浊；肌肉松弛、弹性差，按压凹陷难恢复；腹部膨胀，肛孔突出；有明显的腐败异味（非鱼类正常的腥味）。

乳类：鲜奶呈均匀一致的乳白色或微黄色流体；无沉淀、凝块、杂质，无黏稠或浓厚不均现象；具有纯正、特有的乳香味，无异味。不新鲜的乳类色泽异常（如浅粉红、显著黄绿色或灰暗）；呈稠而不匀的溶液状，可见凝结的凝块或絮状物；有明显的酸味、苦味、霉味等异味。所有乳制品，包括发酵乳（酸奶、奶酪等），均须冷藏保存并在保质期内食用。

9.2 采购与储存安全

食物的采购和储存环节直接影响食品的安全性和品质，稍不注意就可能导致食品变质或受到污染，因此需要严格把控。

1. 采购安全

采购时要注意以下几方面，保证采购的食品是安全的。

（1）**选择正规渠道**。尽量在信誉良好的超市、市场购买食材，这些场所的食品来源相对可追溯，卫生条件也更有保障。避免在来源不明、卫生条件差的摊贩处购买食物。

（2）**检查包装状况**。购买预包装食品时，仔细检查包装是否完好无损，有无胀包、漏气、破损等现象。若包装出现问题，食品可能已受到污染或发生变质，不宜购买。

（3）**关注冷链保障**。需要冷藏或冷冻的食品，如奶制品、肉制品、速冻食品等，在购买时要确保其处于低温环境（如超市的冷藏柜、冷冻柜）。购买后应尽快放入冰箱，减少在室温下的存放时间，防止食品因温度升高而滋生细菌。

（4）**按需定量采购**。采购前做好计划，按需采购，尽量不要囤积食材，防止放置时间久了导致的食材不新鲜，甚至变质。

2. 科学储存

采购回来的食物需根据其储存要求进行合理储存，需要放入冰箱的要及时存放，以最大限度地保持食品的新鲜度和安全性：

（1）注意冰箱温度。冰箱是家庭储存食品的重要设备，不同区域的温度适合存放不同类型的食品。

冷藏室（0～4℃）：适合存放易腐的熟食、剩饭菜、开封的调味品、奶制品、部分蔬菜水果等。确保冷藏室温度足够低（<5℃），以抑制细菌的生长繁殖。

冷冻室（-18℃或以下）：适合存放需要长期保存的肉类、禽类、水产品、速冻食品等。低温能有效延缓食品的变质速度，延长保质期。

（2）做到生熟分开。冰箱内要严格分开存放生食和熟食。生肉、禽、鱼、海鲜等应放在冰箱下层（防止汁液滴落到其他食物上造成污染），熟食、即食食品、剩菜等应放在上层。存放时使用带盖的容器或保鲜膜严密包裹食物，既能防止交叉污染，又能避免串味。

（3）分类存放食物。不同类别的食物要分开存放，如蔬菜、水果、肉类、奶制品等，同时尽可能密封后存放，避免相互污染影响食物品质。

（4）避免过度堆积。冰箱内不要塞得太满，要保证冷空气能够流通，这样才能使冰箱内的温度均匀，确保所有食物都能处于适宜的储存温度。

（5）做好标签管理。对于自制的食物或开封的包装食品，尤其是剩菜剩饭，最好贴上标签注明制作或开封日期，遵循“先进先出”原则，即先储存的食物先食用，及时清理过期或变质的食物。

（6）正确地储存。米、面、杂粮、干货等应存放在阴凉、干燥、通风的地方，并用密封容器保存，以防潮、防虫、防鼠。

（7）遵循“两小时原则”。烹饪好的食物在室温下放置不要超过两小时（夏季高温时不超过1小时），超过时间应及时冷藏或冷冻，防止细菌大量繁殖。

9.3 食品处理与加工安全

食品的处理与加工是饮食安全的关键环节，直接关系到食品能否安全食用。在这一过程中，要严格遵循相关原则和方法，防止食品受到污染。

1. 清洁是基础

清洁是预防食品污染的首要步骤，贯穿于食品处理的全过程。

（1）**勤洗手**。在处理食物前、处理生食后、处理垃圾后、如厕后、触摸宠物后等任何可能污染手部的情况下，都要用流动水和肥皂（或洗手液）彻底洗手，确保手部的细菌被有效清除。

（2）**清洁厨具、餐具**。刀具、砧板、碗盘、锅铲等使用后应立即清洗。尤其是接触过生肉、禽、鱼、蛋液的器具，务必彻底清洗和消毒（可用沸水煮、开水烫或消毒液浸泡），避免残留的细菌污染其他食物。

（3）**做到生熟分开**。准备至少两块砧板和两把刀，一个专用于处理生肉、禽、鱼等生食，另一个用于处理熟食和可直接食用的蔬果（如沙拉水果）。砧板使用后要及时清洗消毒，定期更换或深度清洁。

（4）**清洁台面**。每次操作前后，特别是处理生食后，要彻底清洁操作台面，去除残留的食物碎屑和细菌。

（5）**清洁抹布**。厨房抹布极易滋生细菌，使用后要彻底清洗、拧干、晾干。最好每天用沸水煮5～10分钟或使用消毒液浸泡消毒，并定期更换，建议1～2个月换一次。也可以考虑使用一次性厨房纸代替抹布擦拭台面，减少细菌滋生的机会。

2. 安全解冻

正确的解冻方法能避免食品在解冻过程中滋生细菌，保障食品的安全性。

（1）**最佳方式**：提前将冷冻食物放入冰箱冷藏室缓慢解冻，这种方式解冻均匀，且能保持食品的品质，同时低温环境可抑制细菌生长。

（2）**应急方式**：若时间紧张，可使用微波炉的解冻功能，解冻后应立即烹饪，或将食物放入冷水中解冻，注意要勤换水，确保解冻过程在低温环境下进行。

注意：切勿在室温下解冻，此方式极易导致细菌大量繁殖。

3. 防止交叉污染

交叉污染是导致食源性疾病的重要原因之一，必须严格防范。

（1）**坚持生熟分开原则**。生熟分开原则要贯穿于食品处理的始终，从购买、储存、处理到烹饪、盛放，都要确保生食特别是生肉禽鱼及其汁液，不接触熟食或即食食品。

（2）**加强手部管理**。处理生食后，务必洗手再处理其他食物，避免手部携带的细菌污染其他食品。

(3) **规范器具管理**。处理生食的器具（刀、砧板、碗盘）不要未经清洗消毒就直接用于处理熟食，防止交叉污染。

(4) **认真清洗蔬果**。即使是打算去皮食用的蔬果（如橙子、西瓜），在切割前也应用流动水彻底清洗，以防刀具将表面的污染物带入果肉中。叶菜类蔬菜应去除外层老叶，内叶在流水下充分搓洗，去除残留的农药和杂质。

4. 充分烹饪

充分烹饪能有效杀死食物中的有害微生物，是保障食品安全的重要环节。

(1) **要确保烧熟煮透**，尤其是肉类、禽类、蛋类、水产品、剩菜剩饭等，需烹饪至安全的内部温度。世界卫生组织发布的《食品安全五大要点》中指出，烹调食物达到70℃或以上时，有助于保证食用安全，因此烹饪时确保食物中心温度达到70℃以上并保持至少30秒。

(2) **视觉判断仅作为辅助**。烹饪经验丰富以后，我们也可以通过视觉判断食材的洁净度和成熟度，比如观察禽肉汁液变清、无血水；鱼肉变白、不透明、易剥落；蛋类蛋黄和蛋白凝固。但对于碎肉、大块肉和禽类，必须依赖温度计确认。

9.4 厨房环境与个人卫生

厨房环境的清洁和个人卫生状况直接影响饮食安全，良好的卫生习惯能有效减少细菌滋生和传播的机会。

1. 保持厨房整洁

定期清洁地面、墙面、抽油烟机、橱柜表面等，及时清除油污和食物残渣，防止细菌滋生。及时清理水槽中的食物残渣，保持水槽清洁，避免成为细菌滋生的温床。垃圾桶要带盖，并及时清理垃圾，特别是厨余垃圾，避免垃圾散发异味、滋生细菌和吸引害虫。

2. 注意个人卫生

烹饪时最好束起长发或戴帽子，防止头发掉入食物中。如有伤口，应用防水创可贴包扎好，并戴上手套处理食物，避免伤口污染食物。避免在烹饪时打喷嚏或咳嗽对着食物，如需，应转身避开并用纸巾或肘部遮挡，之后立即洗手。生病，尤其是腹泻、呕吐、发烧或患有呼吸道、皮肤感染时，应避免为他人准备食物，防止将疾病传染给他人。

3. 保证水源安全

确保饮用水安全是饮食安全的基础。如有疑虑，应将水煮沸后再饮用或使用合格的净水设备处理，避免因饮用水不洁导致健康问题。

4. 做好虫鼠防治

封堵可能的入口，如管道缝隙，防止蟑螂、老鼠等害虫进入厨房。保持厨房环境清洁干燥，食物密封储存；及时清理垃圾，避免吸引害虫。发现虫鼠应及时采取安全可靠的措施灭杀，并注意将灭杀工具放置在远离食物和儿童、宠物不易接触的地方，防止造成二次污染或误食。

9.5 剩菜剩饭处理

剩菜剩饭在所难免，但若处理不当，容易滋生细菌，引发食物中毒。因此，要掌握正确的处理方法。

1. 及时冷却。将大量热食分成小份放入浅容器中，有助于更快冷却至安全温度(<5℃)，然后放入冰箱。严格遵守“两小时原则”，不要在室温下长时间冷却，以免细菌大量繁殖。

2. 密封冷藏。剩饭菜应尽快（两小时内）放入密封容器中冷藏，防止交叉污染和异味扩散。

3. 尽快食用。冷藏的剩饭菜最好在1～2天内食用完毕，避免因存放时间过长导致变质。

4. 充分加热。食用前应彻底加热，确保食物中心温度达到70℃以上。汤汁类食物应煮沸并持续翻滚数分钟。使用微波炉加热时，应加以覆盖并中途搅拌，以确保受热均匀。

9.6 定期检查与维护

定期对厨房设备和用具进行维护与检查，能及时发现潜在的安全隐患，保障饮食安全。

1.冰箱清洁。定期（如每季度）清洁冰箱内部，去除冰霜和污渍，检查并丢弃过期变质的食物，保持冰箱内部的清洁和良好的制冷效果。

2.冰箱温度监测。使用冰箱温度计，定期监测冰箱温度，确保冷藏室温度在0～4℃之间，冷冻室温度在-18℃或以下，保证食品储存的适宜环境。

3.厨具检查。定期检查砧板（是否出现过多、过深的刀痕难以清洁，或是否发霉变色）、抹布等的状态，及时更换损坏或老化的厨具，避免因厨具问题导致食品污染。

知识链接

中国菜肴的地域风味和流派

“菜系”作为指代不同地方风味流派的概念，其系统性的归纳与广泛认知，大致形成于20世纪50年代至70年代。按照餐饮行业生产与市场经营的相关性认知，中国历来有四大菜系的说法，即山东（鲁）菜系、江苏（苏）菜系、四川（川）菜系、广东（粤）菜系。四大菜系的定位，有着极其深远的历史渊源，可归为一个重要的背景因素：中国三大文化领域孕育了四大菜系。即黄河文化领域孕育了鲁菜大系，长江文化领域孕育了上游的川菜大系与中下游的苏菜大系，而珠江文化领域孕育了粤菜大系。

后来，又有八大菜系的扩展，八大菜系是以四大菜系为基础，加上浙江（浙）菜系、福建（闽）菜系、湖南（湘）菜系、安徽（徽）菜系等四个菜系。随着大城市文化的发展，北京、上海的地域饮食文化风格逐渐形成，于是又有了十大菜系之说。十大菜系的构成尚无定论，其中一种流行说法是在八大菜系的基础上，加上北京（京）菜系、上海（沪）菜系。

山东菜系（简称鲁菜）

1. 鲁菜的特点

鲁菜发展历史悠久，是我国最早的地方风味菜之一。鲁菜在烹调中注重保留并凸显原料本味，擅长爆、炒、烧、炸、扒、蒸、拔丝等技法。其特点可以归结为：鲜爽脆嫩，突出原味，刀工考究，配伍精当，善于调和，口味纯正，工于火候，技法全面，适应面广。

2. 鲁菜的代表菜

鲁菜的菜品很多，其中主要的代表菜肴有九转大肠、糖醋鲤鱼、汤爆双脆、清蒸加吉鱼、葱烧海参、油爆海螺、烹大虾、扒原壳鲍鱼、拔丝山药等。

江苏菜系（简称苏菜）

1. 苏菜的特点

综合江苏各个地方风味的特色，江苏菜的主要特点为：选料严谨，制作精细，重于调味，长于用汤，口味清鲜，咸中带甜，浓而不腻，淡而不薄，酥烂脱骨而不失其形，滑嫩爽脆而不失其味，等等。

2. 苏菜的代表菜肴

江苏菜的著名菜式不胜枚举，其中较有代表性的菜品有清炖蟹粉狮子头、拆烩鲢鱼头、扒烧整猪头、清蒸鲥鱼、叉烤鸭、松鼠桂鱼、扁大枯酥、水晶肴蹄、盐水鸭、美人肝、大煮干丝等。

四川菜系（简称川菜）

1. 川菜的特点

川菜的主要特点是：原料广泛，注重调味，味型众多，素有“一菜一格、百菜百味”之称，调味善用麻辣。川菜的菜肴清鲜醇浓并重，而以清鲜见长，具有层次丰富的民间风味基础，同时也包含制作精巧的筵席菜式。

2. 川菜的代表菜肴

川菜菜式据不完全统计，其有据可查的就有4000种之多，其中较有代表性的菜肴有宫保鸡丁、麻婆豆腐、樟茶鸭子、鱼香肉丝、怪味鸡、回锅肉、毛肚火锅、水煮牛肉、灯影牛肉、棒棒鸡等。

广东菜系（简称粤菜）

1. 粤菜的特点

概括起来，粤菜有以下特点：原料选材广博，配料繁多，富于变化，讲究火候，巧用油温，口味清醇，注重鲜爽脆嫩，汇聚各地及西餐的烹调特长。

2. 粤菜的代表菜肴

粤菜大系是一个拥有数千款菜式的风味流派，其中较有代表性的如冬瓜盅、烤乳猪、盐焗鸡、清蒸鲈鱼、糖醋咕噜肉、白云猪手、蚝油牛肉、炸鲜奶等。

浙江菜系（简称浙菜）

1. 浙菜的特点

浙菜讲求清鲜、细嫩、制作精细。从整体看，浙菜有以下特点：取料丰富、品种繁多，菜式小巧玲珑，清秀俊逸，制作精细考究，菜肴鲜美滑嫩，脆软清爽，善制河鲜，等等。

2. 浙菜的代表菜肴

浙江菜主要代表菜式有龙井虾仁、干炸响铃、西湖醋鱼、生爆鳝片、东坡肉、蜜汁火方、干菜焖肉、腌笃鲜、赛蟹羹等。

福建菜系（简称闽菜）

1. 闽菜的特点

与其他菜系相比较，闽菜的特点明显，概而言之，闽菜的特点为：制作精细，滋味清鲜，略带甜酸，讲究调汤，善用红糟，尤以烹制海鲜见长，烹调方法以清汤、干炸、爆炒、烧等为主。

2. 闽菜的代表菜肴

闽菜的主要代表菜肴有佛跳墙、醉糟鸡、七星鱼丸、太极明虾、沙茶焖鸭块、糟鸭、鸡汤氽海蚌、红糟炒响螺等。

湖南菜系（简称湘菜）

1. 湘菜的特点

湘菜在口味上突出辣酸，以辣为主，酸味次之。酸味多来源于泡菜、酸汤等自然发酵产生的酸香，风格柔和醇厚。湘菜用料独到，制作考究，油重色浓，味厚香辣，实惠丰满，擅于烹制河鲜、山珍、腊味，烹饪方法则擅于煨、蒸、煎、炒等。

2. 湘菜的代表菜肴

湘菜的主要代表菜肴有腊味合蒸、麻辣仔鸡、吉首酸肉、冰糖莲子、炒腊鸭条、红烧乌鱼、粉蒸竹筒鱼、祖庵鱼翅等。

安徽菜系（简称徽菜）

1. 徽菜的特点

徽菜的用料大多是就地取材、就地加工，菜肴讲究火工，重视刀技，烟熏、炖烧独有特色，善用汤，菜肴芡汁浓醇，油润色重，且保持原汁原味。

2. 徽菜的代表菜肴

徽菜中的名品很多，但其中最有代表性的菜肴有红烧头尾、无为熏鸡、火腿炖甲鱼、葡萄鱼、奶汤肥王鱼、毛峰熏鲥鱼、符离集烧鸡、金银蹄鸡、火腿炖鞭笋等。

北京菜系（简称京菜）

1. 北京菜的特点

北京菜的取料极其广泛。因北京是几个朝代的都城，有条件汇聚东北的山珍、江南的蔬鲜、中原的粮谷、东南的海味、西北的牛羊，为北京菜所用。其烹调方法亦博采众长，尤以涮、烤最有特色。口味上以北方的浓郁、酥烂、咸鲜为主，兼有江南、岭南的脆嫩清鲜。由于受到历代宫廷菜的影响，其菜肴还具有高贵大方、制作精美、豪华典雅的特点。

2. 北京菜的代表菜肴

北京的名菜很多，有些菜肴享誉世界，如被誉为北京名片之一的北京烤鸭。其他如北京烤肉、涮羊肉、白煮肉、罗汉大虾、黄焖鱼翅、砂锅羊头、它似蜜等。

上海菜系（简称沪菜）

1. 上海菜的特点

上海菜在原料上充分利用本地并巧妙兼采外地乃至外国的各色原料，在烹调方法上以苏、浙、川、粤、京及素菜乃至西餐烹饪方法相合，并进行适合于上海人饮食特色的取舍，形成了以传统的焖、烧、蒸见长的体系，口味以清淡为主，讲究脆、酥、烂，风味融合，富于变化，适应层次丰富。

2. 上海菜的代表菜肴

上海菜的代表菜肴主要有红烧划水、白斩鸡、贵妃鸡、虾子大乌参、扣三丝、松江鲈鱼、炒蟹黄油、松仁鱼米、干烧冬笋、烟熏鲳鱼、八宝鸡、糟钵头、桂花肉等。

参考文献

[1] 中国营养学会 . 中国居民膳食指南 [M]. 北京：人民卫生出版社，2022.

[2] 范文峰 . 第一次当厨师 [M]. 广州：广州出版社，2001.

[3] 薛建平 , 盛玮 . 食物营养与健康 [M] . 合肥：中国科学技术大学出版社，2009.

[4] 范志红 . 营养与食品安全：第 2 版 [M]. 北京：国家开放大学出版社，2022.